JN033038

NOVACENE

The Coming Age of Hyperintelligence

James Lovelock

ノヴァセン

〈超知能〉が地球を更新する

ジェームズ・ラヴロック

藤原朝子 監訳／松島倫明 訳

NHK出版

ノヴァセン

〈超知能〉が地球を更新する

NOVACENE: The Coming Age of Hyperintelligence
by James Lovelock
Original English language edition first published by Penguin Books Ltd, London
Copyright © James Lovelock and Bryan Appleyard, 2019
The Author has asserted his moral rights.
Japanese translation rights arranged with Penguin Books Ltd, London,
through Tuttle-Mori Agency, Inc., Tokyo

われわれは太陽がつくりだした古《いにしえ》からの混沌に生きている
ウォレス・スティーヴンス

目次

パート2　火の時代

パート3 ノヴァセンへ

・本文中の〔　　〕は訳注を表す。
・本文中の書名のうち、邦訳のあるものは邦題を表記し、邦訳がないものは原題と訳を併記した。

序文

　ジェームズ・ラヴロックのおそらくは最後となる著作の完成を手伝えたことは大変に光栄なことです。ここで「おそらく」と言ったのは、彼が次に何をするかは決して誰も推測できないというこれまでの経験からくるものです。彼はいまやかなりの高齢ですが、静かな隠居生活などまったくしそうにありません。とはいえ、本人は隠遁も漠然と考えているとメールでは書いています。

「100歳になろうとするいま、貢献できることがもうわずかであることは疑いようがない。たとえばマラソンを走っていて、最後の坂を上っていくような辛さだよ。もうあがくのはやめにして、若いランナーたちにゴールしてもらうのもいいかもしれないな」

　これを読んでわたしは笑いました。まず、誰か若いランナーが彼を抜き去るというのが想像できません。それに、彼のその言葉が信じられなかったからです。新しいアイデアや視座、新しい考え方がいまでも溢れ出る彼であれば、いつ次の本が生まれたっておかしくありません。実際のところ、本書について彼と作業するあいだも、もう考えるのをやめて説明してくれないかと頼まなければなりませんでした。そうしなければ、いつまでも完成しなかったからです。

彼の想像力はいつも、ハラハラするほど予想外で、危険なほどに鋭利です。あるディナーパーティで、彼がそこに居合わせた多くの聡明な人たちの真剣な会話を、静かに座って聞いていたときのことを覚えています。彼がたった一言しゃべりだすと、それまでの話は何もかもがひっくり返り、誰もが言葉を失ったものでした。彼は周りの人々が自分に同意すると、かえって「何かがおかしいんじゃないか」とそれに疑念を抱きます。常に反論を探し、異なるパースペクティヴを求め、科学的なアイデアとは本質的に不確実なものだと強く信じています。だからこそ、何度も試され、壊されながら築き上げた彼のアイデアは、かくも強靱《きょうじん》なものとなるのです。もちろん、すべての科学者がそのように思考していくべきですが、多くはそうではありません。そのこともあって、近年彼は自分のことをエンジニアと名乗るのを好んできました。

初めて彼と話すと困惑するかもしれません。わたしが彼に初めて会ったのはもう何年も前、イングランド南西部のクームミルにある彼のラボでのことでした。彼が言っていることが理解できず、まるで、自分が知っているはずの世界とはまったく違う鏡の世界に迷い込んだのかと思ったのを覚えています。彼が語る自身のガイア仮説について、わたしは理解できなかったのです。おそらくそれは、本書でも彼が述べている通り、通常の論理形式では表現できないものだからでしょう。かといって、このアイデアが複雑だというわけではありません（細かく見ていけばそうではあるのですが）。そうではなく逆に、その核心において純粋なほどにシンプルだからです。生命と地球とは、相互に作用し合う全体《ホール》であり、この惑星はそれ自体がひとつの生命体だと見なせる――このように、いたってシンプルです。ひとたびこれを理解したあとでは、あまりに自明のことに思えて、同意しない人など誰もいないようにわたしには思えました。でも事実は、誰もがその当時は同意しませんでした。いまだに同意しない人もいれば、本当はガイア論者なのにそうではない振りをする人もいます。ただ、いまやほとんどの人々が、生命やこの惑星についての理解を、彼が永遠に変えてしまったのだとわかっています。

既存の枠にとらわれずに《アウトサイド・ザ・ボックス》考えることの大切さがよく言われますが、考えることそのもののもっと大きな価値についてはめったに言及されることがありません。それは、枠そのものが存在しないかのように考えることです。ジェームズは広範な学識を持ち合わせ（その中心は医学と化学ですが、どうやら、彼が話し始めたどんな分野でも）、ひとつの学問分野に彼を押し込もうなどとは望むべくもありません。科学という体系に照らし合わせる限り、彼はアウトサイダーであり、一匹狼です。それでも、いくつもの賞や学位を授けられました。英国王立協会フェローに選出された際、その理由として挙げられた彼の業績は呼吸器感染症に関する研究、空気滅菌、血液凝固、生細胞の凍結、人工授精、ガスクロマトグラフィー［混合物質の分離、同定、定量などを行なう方法］など多岐にわたりました。

フェロー選出は1974年のことで、のちに彼を有名にした業績についてはほんのわずかしか触れられていません。それが気候科学とそれに関連した地球外生命の可能性についての研究です。さらに、彼には自身の研究に必要な機器を自分でつくってしまう才能もあります。よく知られているのは革新的な電子捕獲型検出器（ＥＣＤ）の発明ですが、おそらく国の情報機関で働いていたあいだには、電子レンジやその他多くの秘密のガジェットを手掛けていたのでしょう。

著書『地球生命圏：ガイアの科学』（工作舎）によって彼の女神《ガイア》をわたしたちに紹介してから40年が経ったいま、彼は同じように驚くべき、そしてラディカルな新しいアイデアをわたしたちに提示します。「Novacene（ノヴァセン）」とはこの地球の新しい地質年代として彼が名付けたもので、アントロポセン（Anthropocene：人新世）を引き継ぐ時代となります。アントロポセンとは人類がこの惑星全体を地質学的にも生態系の面からも改変する能力を獲得した時代として定義づけられ、１７１２年に始まり、すでに終わろうとしています。それに続くノヴァセン――ジェームズに言わせればそれはすでに始まっています――という時代は、テクノロジーがわたしたちのコントロールを超えて、わたしたちよりも遥かに優れた知能を生み出す時代です。さらに重要なのは、その知能がわたしたちよりも遥かに速く働くことです。どうやってそれが起こり、わたしたちにとってどんな意味をもつのか、それを語るのが本書です。

それは、多くのＳＦや映画で描かれるような、何か暴力的な機械が世界を乗っ取るといったものではありません。それよりも、人類と機械は協調していくでしょう。なぜなら両者ともに、ガイア、つまり生きた惑星としての地球を維持するのに必要とされるからです。ジェームズはメールでこう書いています。「重要なのは生命というコンセプトそのものだと思う。おそらくそれがわかっていたからこそ、わたしは地球をひとつの生命体だと見て取ったのだ。生命はある共通の目的をもっている限り、その個々の構成物が何であるかについては、重要ではないようだ」。この生命というコンセプトには、宇宙《コスモス》について観察し考えをめぐらせることのできる知能あるいは生物の可能性が表されています。人類がこのまま電子的な自らの子孫と共に生き永らえるのか、あるいはその座をとって代わられるのかはさておき、コスモスが自らを認識するというプロセスにおいて、わたしたちは決定的で欠かせない役目を果たすことでしょう。

ジェームズは人間中心主義者ではありません。人類が崇高な存在であり、創造の頂点にして中心だとは見なしません。これは、ガイアの考え方に見て取れます。生物圏《バイオスフィア》には存続していくための独自の価値体系があります。それが人間主義的ないかなる価値体系をも遥かに超えたものだということは、ガイアを理解した方々にとっては自明のことでしょう。つまりこういうことです。もし生命と知能がすべて電子的なものになるなら、それでいい。人類は自分たちの役割を果たし終えたのであり、舞台には新しく若い役者たちがまさに登壇しようとしているのだから。

最後に、ジェームズが使う用語について記しておきましょう。彼は宇宙の用語として「universe」

ではなく「cosmos」を使います。それは、後者がわたしたちが知り得るものすべてを意味するのに対し、前者は場合によってはわたしたちが知っている以上に大きなもの、わたしたちが知り得ないものを意味する潜在的可能性を含んでいると考えるからです［本書ではcosmos＝コスモス、universe＝宇宙と訳し分け、space＝宇宙空間など、ほかに定訳がある場合は適宜「宇宙」を使っている］。また、彼は「サイボーグ」という言葉を、ノヴァセンにおいて知能をもつ電子的存在という意味で使っています。一般的にはサイボーグとは肉体と機械が融合した存在を意味しますが、彼が考えるには、サイボーグとはダーウィン的自然選択によって登場するものであり、その点であらゆる有機的生命と同じであるがゆえに、この言葉の使い方は正当だということです。ですが、わたしたち人間とサイボーグに共通するのはそれですべてです。つまり、人類はサイボーグの親かもしれない一方で、サイボーグは人類とはまったく異なるものになるでしょう。

ジェームズは最近のメールを、申し訳なさそうにこう終えています。「いまはこれで充分なんじゃないかな」。それは、いったんはこれで充分だという意味なのでしょう。しかし、ジェームズ・ラヴロックにとっては、まだまだ次があるはずなのです。

2019年1月1日
ブライアン・アップルヤード

パート1
コスモスの目覚め

I 孤独な人類

わたしたちのコスモスは１３８億歳だ。この地球が形成されたのは45億年前のことで、生命が誕生したのは37億年前だ。われらがホモ・サピエンスは誕生してからたかだか30万年ほどしか経っていない。コペルニクス、ケプラー、ガリレオ、それにニュートンが歴史に登場するのはこの５００年のことだ。コスモスが存在してきた時間のほとんどにおいて、コスモスは自らについて何ひとつ知らなかった。人類がツールとアイデアを発展させ、輝く星空という途方に暮れるほどの光景を観察し分析したことで初めて、コスモスは無知という長い眠りから目覚めたのだ。

あるいは、こうした目覚めはあちこちで起こっていたのだろうか？ 地球外知的生命体《エイリアン》が描かれた無数の文学や映画を見る限り、わたしたちはそう考えるのが好きなようだ。コスモスにはおそらく2兆の銀河が存在し、その一つひとつの銀河には１０００億の恒星があるというのに、人類がこのコスモスで孤独な存在だと信じるのは難しい。こうした星々の周りを回る数千兆もの惑星の少なくともひとつには、当然ながら高度な知性をもつ種が存在してきたし、いまも存在するはずだと考える人々がいる。そうした知的な種は、人間と同じようにコスモスの理解者であるだろう。あるいは、その感覚システムはまったく異なるものとしてコスモスを知覚しているかもしれない。

だがわたしの考えでは、それはほぼあり得ない。宇宙の天体がこれだけ多いことが誤解を与えているのだ。最初の原始的な生命体から、コスモスを理解できる知能をもつ生命体へと進化するのには37億年――それはコスモスの歴史のほぼ3分の1だ――にわたる自然選択、つまり目をつぶって手探りをするような進化のプロセスが必要だった。さらに言えば、もし太陽系の進化が実際よりも10億年長くかかっていたら、コスモスについて語ることのできる生命はどこにも存在しないだろう。太陽が発する猛烈な熱に対処できるようなテクノロジーを手にするだけの時間がないだろうからだ。こうした観点から言えば、コスモスは古いとはいえ、知的生命を生み出すのに必要なとんでもなく長く複雑なプロセスが、一度ならず何度も起こるほどには古くないことは明らかだ。わたしたちの存在は、一回限りの奇遇な出来事なのだ。

だが、いまやこの地球も歳をとっている。地球の寿命を知ることが、人間自身の寿命を知るよりも簡単だという事実は興味深いものだ。人間はなぜ最大で１１０歳を超えて生きることがほぼ稀なのか、そしてマウスはなぜ1歳を遥かに超えて生きられないのかをわたしたちはまだ知らない。それは身体の大きさの差によるものではない。小型の鳥のなかには人間と同じぐらい長生きのものもいるからだ。それに比べて、惑星の寿命はその惑星を温める恒星の特性によって簡単に判断できる。

われらの恒星である太陽のことを天文学者らは主系列星と呼ぶ。この星は人類に命を与え、いまも維持してくれている。その暖かさと規則正しさが、幾多の不確実性に満ちたわたしたち自身の生活を慰めてくれるのだ。偉大なる真実の語り手であるジョージ・オーウェルは1946年にこう書いている。「原子爆弾が工場に積み上げられ、警官たちが街中をうろつき、嘘の数々が拡声器から垂れ流されている。それでも、地球はいまだに太陽の周りを回っている……」

ただし、この偉大なる慰めの星はまた、破壊的な存在でもある。主系列星は齢《よわい》を重ねるにつれ、その輝度をゆっくりと増していく。そして太陽からの熱が高まるにつれ、地上の生命は脅かされる。これまでは、わたしがガイアと呼ぶ惑星のシステムが地表を冷やすことで、わたしたちは保護されてきたのだ。

地球の温度が生命にとって生存不可能なほどに高くなり得る理由はいくつかある。もし二酸化炭素を吸収する植物がなければ、現在のレベルまで気温を下げることはできないだろう。そして、温室効果が破滅的に進行する。その証拠はわたしたちの身の回りに溢れている。暑い日に、スレート屋根の温度とその近くのクロマツの温度を比べてみるといい。屋根の温度のほうが40℃は高いだろう。木は水分を蒸散することで自らを冷却する。同様に、海面の温度が低いのは、生命がそれを15℃以下に保っているからだ。それ以上になると、海洋生物は死に絶えるかもしれず、そうすると太陽光が吸収され、海水を温めることになる。

ガイアは、いまや歳をとり体力が衰えているけれど、この惑星を冷却するという自身の仕事を続けなくてはならない。地球が生命体に覆われてから30数億年が経つ。わたし自身が嫌というほどに気づいているように、歳を重ねるにつれ、わたしたちはあちこち調子が悪くなる。それはガイアにしても同じだ。かつてなら軽くやり過ごしてきたような衝撃によって、システムが破壊されてしまうかもしれない。

コスモスについて知る能力をもつ生物を育むことができたのは、地球だけだとわたしは確信している。だが同時に、その存在が危機に瀕していることも確かだ。人間はほかに類を見ない特権的な存在であり、だからこそ、自らがコスモスを意識するあらゆる瞬間を大事にすべきだ。とりわけ、コスモスの最大の理解者という至高の立場でいられる時間が急速に終わりに近づくいま、なおさらこの時間を大事にしなければならない。

2
絶滅の縁

人間がこれから数年のうちに死に絶えると言いたいわけではない——たとえそれがあり得ることだとしてもだ。人類は常に絶滅のリスクと隣り合わせに生きてきた。人間はとても脆弱な地球の理解者であり、不安に怯《おび》えながら、唯一の故郷である地球にしがみついている。

隕石が衝突すれば、わたしたちが依存するこの生物圏《バイオスフィア》を破壊するだろう。６６００万年前に恐竜たちの王国を終焉に追いやったらしい隕石とちょうど同じことが起こるのだ。月や火星の表面にあるでこぼこのクレーターは、ほぼ間違いなく隕石が衝突した跡だ。同じように地球も多数の衝突に見舞われたと信じる理由はいくつもある。ただし、薄い水の膜に覆われたこの惑星ではクレーターは陸にしかできず、それらもやむことのない雨によって洗い流されている。それでも、地質学者が行なってきたように地表の岩石を注意深く調べれば、無数の衝突の証拠が見つかるだろう。なかには直径３００キロ余りのクレーターも残されている。

さらに破壊的なのが火山の噴火だろう。２億５２００万年前に起こった噴火によって、ペルム紀が終わり三畳紀が始まった。これは広範囲にわたるマグマの噴出によって引き起こされたと考えられ、シベリアン・トラップ［中央シベリア高原を中心に拡がる洪水玄武岩で、西ヨーロッパに匹敵する面積］を形成したことがいまでは知られている。これは大量絶滅のひとつに数えられ、海洋生物種の90パーセント、地上生物種の70パーセントが絶滅し、生態系が回復するのには、3000万年がかかった。

　これは遥か昔の話だが、だから安心していいという理由にはならない。わずか7万4000年前にも人口が破滅的なほどに減少し、おそらく数千人の規模にまでなったことがある。インドネシアのトバ湖を形成した巨大な噴火によって火山灰が地球上を覆い尽くし、火山の冬をもたらしたせいだ。さらに1815年という最近になっても、再びインドネシアでタンボラ山が噴火し、地球のあらゆる場所で空が暗くなり気温が下がった。この出来事はメアリー・シェリーの小説『フランケンシュタイン』（新潮文庫など）やバイロン卿の恐ろしげな詩「暗黒」の発想の元になったと言われている。「暗黒」の結語はこうだ。「嵐風は不動の空に衰残《すいざん》して、雲霧も又滅盡《めつじん》せり、暗黒《ダークネス》はそれ等の助を借るを要せず——宇宙《ユーニバース》は實に／闇黒そのものなりき」［『短編バイロン詩集』（大学館）／児玉花外訳］。バイロンは、コスモスにおける人間の脆弱な存在を垣間見たのだ。こうした出来事がもう一度起きたら、人類を一掃することはないとしても、文明を破壊し、石器時代へと後戻りさせるかもしれない。そうなれば、コスモスを理解することなど、優先順位の上位にはなり得ないだろう。

こうしたリスクのいくつかは緩和することができる。リスクを理解することができるおかげで、いまや人間はロケットや核兵器を使って、地球に衝突する可能性がある隕石の軌道をそらすことができるのだ。こうした兵器を文明の破壊以外の目的に使えたとなれば、たとえ一時的なものであれ、そのことを誇らしく思うだろう。もし各国が協力して隕石の軌道をそらすためのロケットを建設することがあれば、それは史上初めて、太陽系の一惑星である地球が、宇宙空間をさまよう巨大隕石が致命的な衝突コースをとって向かってくることを知覚する能力と、さらには、その危険な軌道をそらして自身を救い出す手段とパワーを獲得したことになる。これはコスモス的な視点では、極めて重要な進歩だ。

すべての生存計画がこんなに有望なわけではない。心底クレイジーなあるアイデアが、メディアや大胆不敵な起業家によって昔から度々話題にされる。それは、地球上で人類が絶滅の危機に遭った場合には、火星がその避難場所になるというものだ。この考えは、火星の地表がサハラやオーストラリアの砂漠とさほど変わらないという仮定のもとに成り立っている。アメリカのフェニックスやラスヴェガスといった都市と同じように、必要なのは帯水層《たいすいそう》まで掘り進めることだけで、そうすればカジノやゴルフコースやスイミングプールが完備された快適な文明生活を火星で送れるというわけだ。

残念ながら、火星の無人探査がこれまで明らかにしてきたのは、火星の砂漠は地球上で考えられるすべての生命体にとって、まったく適していないということだ。大気はエヴェレストの頂上よりも100倍薄く、宇宙線や太陽の紫外線に対する防御がない。火星の薄い大気の99パーセントは二酸化炭素で、呼吸するのは不可能だ。水の痕跡はあっても、死海の水のように塩分が強いために飲むことはできない。偉大なるパイオニアにして宇宙旅行を目指すイーロン・マスクはかつて、隕石の衝突で死ぬぐらいなら火星で死にたいと発言しているが、火星のコンディションが示すのは、衝突による死のほうがましかもしれないということだ。

もしかすると、資産の半分をなげうって自ら火星に行こうとする超富豪であれば、火星に隠遁部屋を確保できるかもしれない。残りの全財産は、生活のための極小カプセルを建設し維持することに費やされるのだ。ただし、決してそこから外に出ることはできない。実際のところ、南極の氷床に独房をつくるほうが、残酷さの点では遥かにましと言えるだろう。少なくとも空気を吸うことができるからだ。

地球の真の状態を無視してそんな冒険を企てることは、究極の不条理に思える。わずかな火星のオアシスを探そうという希望がその巨額の費用を正当化することはない。特に、そうした惑星探査の費用のほんのわずかでも地球のリサーチにあてれば、地球についての重要なデータが得られるのだからなおさらだ。この惑星こそがわたしたちが住む場所であり、地球についてもっと知ることは、たとえ火星についてのニュースほど興奮させられるものではないとしても、わたしたちの生存をより確かにしてくれるものだということを忘れてはならない。

では、コスモスについての理解を今後も維持するためには、地球について何を知る必要があるだろうか？　わたしたちが注力しなくてはいけないのは熱だ。熱はわたしたちの住む場所とわたしたちの存在にとって、もっとも差し迫った可能性としての脅威だからだ。

これについては本書の次のパートで詳しく述べるけれど、いくつかのポイントを挙げておかなければならない。近年になって、何千もの系外惑星（太陽系の外の惑星）が発見されている。それは天文学者にとどまらず、人々に大いなる興奮をもたらすものだった。地球外知的生命体の兆候を発見するまで、あとわずかなのではないかと多くの人が憶測をめぐらせ始めたのだ。だがわたしに言わせれば、それはあまりにも人間中心主義の思考だ。そもそもエイリアン・ハンターたちは、有機的生命体によって統治された惑星と、電子的生命体によって統治された惑星の違いもわかっていない。後者が前者から進化するというのが本書の主題となる。わたしたちの文明以上に進んだ文明はおそらく電子的なものだろうから、背が低く大きな頭に巨大な吊り目の生き物を探すことにはほぼ意味がない。

それにこうした系外惑星については温度の問題がある。いくつかの惑星が「ハビタブルゾーン（生命の居住可能領域）」内にあるという発見は特に興奮させられるものだった。これは「ゴルディロックス・ゾーン」と呼ばれることがある［ゴルディロックスはイギリスの童話「ゴルディロックスと3匹のくま」の主人公の女の子］。彼女のお粥《ポリッジ》が熱すぎもしなければ冷たすぎもしないように、ちょうどいい状態にあるということだ。ゴルディロックスの惑星は恒星からちょうど生命を育むのに適正な距離だけ離れている。氷の世界になるほど恒星から離れてもいなければ、熱で生物が生じないほど近づいてもいない。

すでに述べたように、わたしはそこに知的生命がいるとは考えていないが、ここではそうだと仮定して、そうした知的生命が人間とまったく同じこと、つまりハビタブルゾーンにある惑星を探しているとしよう。この地球外知的生命体は水星と金星は除外するだろう。明らかに太陽に近すぎるからだ。だが地球もまた、太陽に近すぎるとして除外されるだろう。火星こそが、唯一条件を満たす星だと結論づけるはずだ。

地球は並外れた量の熱を吸収して放出しているので、ハビタブルゾーンの内側にあるとは見なされないはずだ。地球外知的生命体の天文学者は太陽系を眺め、金星と比べて地球の表面温度があまりに特異であることに驚きを隠せないだろう。外宇宙から見る地球の有効温度［ここでは、惑星の大気圏上層から放射される熱量から惑星が黒体であるとして計算した固体惑星の温度。実際の地表温度や大気温度とは異なる］は金星に比べて涼しくなるのではなく暑くなっている。地球は金星に比べて、30パーセント余計に太陽から離れているのに、だ。地球の有効温度が高いのは、金星よりも大気中の二酸化炭素が微量だからだ。太陽とのあいだで熱平衡を保つために、地球は熱エネルギーをもっと放射しなければならず、実際に赤外線の長い波長においてはそうだ。これによって大気圏上部の宇宙との境界は熱くなるが、同じ原理によって、地球の表面は冷やされたままとなる［逆に金星は、二酸化炭素を主とする分厚い大気の温室効果で熱が留まり、地表温度は地球より遥かに高い（約５００℃）にもかかわらず、大気圏上層から放射される熱量は小さい。そのため外宇宙から観測し計算した有効温度は低くなる］。

ハビタブルゾーンというアイデアは欠陥があると思う。というのも、まさに地球がそうであるように、生命をたたえた惑星はその生命に好ましいやり方で自らの環境や気候を改変していくものだ、という可能性を無視しているからだ。現在の地球環境が単なる地質学的偶然の産物だという誤った思い込みによって、地球外の生命探査で膨大な時間が無駄になってきたかもしれない。本当のところ、地球環境は居住可能性を維持するために大規模な適応を行なってきた。太陽からの熱をコントロールしてきたのは、生命なのだ。もし地球から生命を一掃したら、あまりにも地球が熱くなりすぎて、もはや居住は不可能となるだろう。

そういうわけで、生命にとってのエネルギーを供給する太陽によってわたしたちがつくられている一方で、それによって脅威にもさらされている。この恒星は完璧なほどに標準的で、少し小型で、中年を迎えた天体――50億歳の主系列星だ。内部の超高温部分で水素とヘリウムの核融合反応によって熱を保つ。酸素中で石炭を燃やすことで二酸化炭素が排出されるように、水素の核融合によってヘリウムがつくられる。二酸化炭素もヘリウムもどちらも温室効果ガスだ。前者は地球を温暖化し、後者は太陽を温暖化する。そのことで太陽の内部がより高温となり、核融合反応を促進する。より熱が生まれることで太陽が膨張し、表面積が大きくなった分、より大量の熱が放出され地球を温める。太陽からの熱の放出はどんどん増え続け、いまから50億年後には赤色巨星となってゆっくりと地球や太陽系の内惑星を呑み込んでいく。

これまでは、太陽の温度の上昇はゆっくりで、生命の進化という何百万年もかけたプロセスに充分な時間を与えてきた。ただ残念なことに、いまや太陽が熱くなりすぎて、地球上でもこれ以上、有機的生命体は発達できなくなった。40億年前から25億年前の太古代に生じた単純な化学物質から生命が誕生するようなことは、もはやこの恒星からの熱の放射が大きすぎてあり得ない。地球の生命が絶滅したら、新たな生命が誕生することはないのだ。

ただ、これはすぐに問題とはならない。真の脅威は、いまは安定しているとはいえ、太陽が放射する熱が、ゆっくりと増えていくことだ。事実、これまでの35億年で太陽の熱の放射量は20パーセント増えた。これは地球の表面の温度を50℃まで上げるのに相当する量で、そうなれば温室効果は上昇の一途をたどり、地球を不毛の地へと変えていたはずだ。だがそんなことは起こっていない。確かに温暖期があり氷河期があったものの、地球の表面全体の平均気温は現在の15℃から上下約5℃の変動しかなかったのだ。

これがガイアの働きだ。ギリシア神話において、ガイアは大地の女神であり、作家ウィリアム・ゴールディングの提案によって、わたしは50年前に展開した理論に彼女の名をつけた。その理論とは、生命はその始まりから周りの環境に働きかけ、それを改変してきたというものだ。

これは複雑で多元的なプロセスなので、その全容を簡単に説明することはできない。だが、その仕組みを簡単なコンピューター・シミュレーションによって描き出すことはできる。それが、気象学者のアンドリュー・ワトソンと共同で1983年に発表した「デイジーワールド」だ。

太陽のような主系列星がデイジーワールドという惑星を熱すると、やがて温まってきて黒いデイジーというひとつの植物種が惑星表面全体を覆うようになる。黒いデイジーは熱を吸収するため、初期の低い温度でも元気に繁殖するのだ。そこに白いデイジーという変異種が現れた。白いデイジーは熱を反射するので、より高温の環境に適応し、気温がさらに上がるにつれて繁茂しだす。こうしてデイジーワールドは、白いデイジーによって冷やされ、黒いデイジーによって温められる。ひとつの植物種によって、惑星規模の環境を調節し安定させることができるのだ。さらに言えば、この安定化は厳密な自然選択によって出現する。

このモデルを地球上のすべての動植物を含むものに拡げれば、それがガイアとわたしが呼んだシステムになる。ただし、このシステムはあまりに複雑なので拡張することはできないし、そもそも完全に理解するところからはまだほど遠いのが現実だ。わたしたちが理解できないのは、人間自身がその一部だからだろう。あるいは、わたしたちは言語や論理的思考にあまりに依存しすぎて、この世界を大局的に理解する上で重要となる、直観的な思考というものを軽んじてきたからではないかと思う。

つまり手短に言えば、人類は自分たちの手にはまったく負えない力によって、いかなる瞬間にも絶滅するかもしれない。だけれど、直観的思考を身につけることによって、自らを救うことができるはずなのだ。

3 直観的思考を身につける

ガイアを説明するのが難しいのは、それが自分の内側でほとんど無意識に抱いていた情報から直観的に生まれたコンセプトだからだ。それは、科学者たちが好むような順序立った論理から直接生まれる概念とは大きく異なる。動的で自己調整するシステムというものは、段階的な論証に基づく論理的説明に真っ向から逆らうものだ。だから、ガイアを論理的に説明することはできない。それでもわたしにとっては、ガイアの存在を示す証拠は実際のところとても強力で、わたしの著書や論文にはその詳細なアウトラインが描かれている。

地球とはひとつの生きた生命体であるというガイアからの提示は、わたしにとっては直観的に真実に思える一方で、これまで多くの批判にさらされてきた。そのひとつは、再生（生殖）ができない以上、生命体とは言えないというものだ。それに対するわたしの答えとしては、40億歳の生命体には再生は必要ないというものだ。それにこう付け加えてもいいだろう。もし地球の大気から対隕石ロケットが飛び出すのを地球外知的生命体が見たら、合理的に考えて、それを地球そのものが打ち上げたものだと結論づけるだろう。そのロケットをつくったのがガイアというシステム全体だという意味で、その結論は正しいと言える。一方で、太陽との距離が近いことや地球から放出される熱を見て、ここでは生命が誕生し得ないと誤って結論づけるかもしれない。この熱の放出はガイアによるものだ。生命を維持するために余計な熱を宇宙空間に押し出しているのはガイアの為せる業であり、それを理解するためにわたしたちは考え方を変えなければならない。

もっとずっと若かった時分には、コスモスとは因果律に従う明快なシステムであるという昔ながらの科学の世界観をわたしも受け入れていた。AがBを引き起こし、BがCを引き起こす、といったように。おそらくガイアについて充分に注意を向けてこなかったのだろう。しかし、「AがBを引き起こす」という考え方は一次元的で線形的なものであり、それに対して現実は多次元的で非線形だ。自らの人生を考えてみさえすれば、そこで起こるあらゆることが因果律によるシンプルで線形的なプロセスだと説明するのがいかにバカげたものかがわかるはずだ。

多次元的で非線形な例は、基礎工学にもいくつもある。19世紀にジェームズ・ワットによって発明された蒸気機関調速機を例にとってみよう。これは機関車の速度をコントロールするために使われた。調速機には垂直の鉄のシャフトがあり、主駆動力のわずかな力の違いに応じてシャフトが回転し、そこに取り付けられたふたつの真鍮《しんちゅう》の重りが遠心力で外に振れるという単純な仕組みだ。シャフトの回転が速くなるにつれ、ふたつの重りの外振れが大きくなる。そうなると蒸気機関に流れる水蒸気の量を制御するバルブの開きが小さくなり、スピンの動きが調整されるのだ。このシンプルなシステムによって、上り坂に差し掛かろうと下り坂に差し掛かろうと、蒸気機関は一定のスピードを安定的に維持する。機関士は一定のスピードをセットすれば、それを維持する仕事は調速機がやってくれるのだ。

これをシンプルで明快で賢い仕組みだとは思っても、それ以上考えることはないだろう。だがぜひもう一度、考えてみてほしい。この調速機の仕組みを説明しようとすることは、19世紀の偉大なる物理学者のひとり、ジェームズ・クラーク・マクスウェルをもってしても成し得なかった。彼は王立協会への報告で、それがどうやって動くのかを説明しようと三日三晩考えたけれどもできなかったと書いている。

アリストテレスにまで遡る純粋で簡潔で線形的な論理学――科学や人間のあらゆる出来事にとって重要なことの基礎を成すロジック――は、蒸気機関調速機のような単純なシステムを説明することすらできないのだ。ましてや動物やガイアが行なう温度調節など、同様の古典的なロジックで説明できるわけがない。

人間にとっての失敗は、古典的な推論に頼り続けてきたことだと思う。その原因はことば（書きことばであれ話しことばであれ）の性質と、人間の思考の分裂しがちな性質にある。わたしたちは自分の友人や恋人については、それが人間という総体であることを把握できる。たとえばそうした相手の肝臓や肌や血液の機能を理解し、医療の目的でそれらについて考えることが度々あったとしても、その相手がそうした器官の寄せ集め以上の存在であることを理解している。

一方で、ことばのもつ論理的問題は、それが段階を踏んで線形的に生成されることだ。本質的に静的な問題を解決するにはことばはぴったりだし、人間に多くの恩恵をもたらしてきた――フレーゲやラッセル、ウィトゲンシュタインやポパーのような論理学者がこの世界について包括的に説明するには役立ってきたのだ。

ガイアをめぐって西洋の進化生物学者たちと長らく繰り拡げてきた議論を振り返ってみると、その議論にはずっと行き違いがあったように思える。当初からわたしは、ガイアを動的システムだとしていた。そうしたシステムを線形的で論理的な用語で説明することはできないと直観で理解していたものの、なぜできないのかはわからなかった。この直観が生まれたのは、動的に作用する科学器具をわたしが身近によく知っていたからだ。また同じように重要だったのは、わたしが1941年に国立衛生研究所の生理学部門で働き始めたことだ。ここでは科学者はみなシステム科学の専門家だった。動的システムについて非線形的な考え方をすることを、若いわたしは当然のことだと受け止めていたのだ。

ガイア仮説について、英語圏の地球科学や生命科学の専門家たちのほとんどに受け入れられなかったのは事実だが、一方で、ヨーロッパの科学者たちは往々にしてよりオープンな態度をとっていた。高名なスウェーデンの気象学者であるバート・ボリンや他の欧州地球物理学連合のメンバーたちは、わたしが初めてガイア仮説について詳細に述べた論文を査読し、その論文は1972年に学術誌『テルース』に掲載される運びとなった。最近では、高名なフランスの学者ブルーノ・ラトゥールがガイアを支持し、太陽系について、太陽を周回する石の塊である惑星が集まったものだとしたガリレオの考えにとって代わる理論だとした。ガリレオの洞察では、惑星同士の類似性こそが重要だとされる。ガイア理論においては、地球とその他の惑星はあまりにも異なるということが、この地球を特別なものにしている。

数少ない例外を除いて、ガイアをめぐる攻防は紳士的に交わされた。科学の競争においてはめずらしいことに、わたしたちは同意しないということを同意していたのだ。わたしの研究が、もし助成金に頼っていたならば成し得なかったことをここで記しておくのは大切だ。実際のところ、個人としての収入や旅費を含むすべての費用は、わたしが政府機関や企業の技術的問題を解決することで得た給料で賄《まかな》っていた。学術界はほぼどこにおいても、まるでガリレオの時代の教会のように——いくぶん手柔らかではあるけれど——振る舞っていた。優秀な科学者の多くが、古典論理では説明不可能なものを説明するよう強いられて途方に暮れていたのは異常なことだったと思う。だが、考えてみると、遥かに多くの聖職者たちが同じ思いをしてきたのだ。

その昔ニュートンが発見したように、論理的思考は動的システムにおいては通用しない。時間の経過とともに事象が変化するからだ。単純なところでは、生きている対象の働きについて、それを因果論で説明することはできない。わたしたちのほとんどは、とりわけ女性たちは、ずっと前からそのことをわかっている。ニュートンがこのことを発見したのは17世紀のことで、ケンブリッジ大学のトリニティカレッジという古典的思考にまみれた環境においてのことだった。賢くも彼は動的システムのロジックを、彼の言うところの計算式へとうまく変換したのだ。それ以来、数学に傾倒する科学者たちはニュートンに倣《なら》い、一見、説明不可能な動的システムを分析する手法を編み出していった。

驚嘆すべき量子コンピューターをはじめ、量子理論の実用的応用を手掛ける物理学者たちは、エンジニアや生理学者たちに近いのだと思う。こうした科学者らが生み出し、あるいは発明した驚嘆すべき事象もまた現実だし、実際に機能するものではあるけれど、それらが決してことばで説明できないことに科学者たちは直観的に気づいていただろうか？　できることといえば、せいぜいが起きていることを描写することなのだ。

同じように、ニュートンやガリレオ、ラプラス、フーリエ、ポアンカレ、プランクやその他の偉大なる知性の持ち主たちは、大聖堂の建造者と同じように直観的に思考したのではないかと思う。建造者たちは計算尺すら持っていなかったのに、その後何世紀もの歳月に耐える強靭で均整のとれた美しい柱の寸法を割り出した。次に1マイル［約1.6キロ］の吊り橋を渡る機会や高度1万メートルを飛ぶ機会があったら、思い出してほしい。そうした橋や飛行機の設計に使われている数学は、まったく非論理的なところから生まれたのだということを。そこでエンジニアたちが行なったのは名誉あるごまかしだ。システムの仕組みを説明しているように見せて、実際は起きていることを描写しているにすぎなかったのだ。

わたしもこの名誉あるごまかしを適用して、生態系の非論理的な数学を応用しやすくしてきた。だがこれまで、ほぼ誰もそれを使ってはこなかった。1992年に王立協会の学術誌『哲学紀要』に発表した論文は、偉大な生物物理学者アルフレッド・ロトカの予想をベースとしたものだった。彼の予想とは、一般的に思われているのとは反対に、多くの種からなるひとつの生態系をモデル化する場合には、物理的環境を含めて作成したほうが簡単だというもので、とてもガイア的と言える結論だった。

ことばや文字が生まれる前、人類をはじめすべての動物は直観的／直感的に思考していた。田舎を散歩していて思いがけず崖に出くわしたときのことを想像してみよう。そこはあまりに高く急峻で、もう一歩進めば確実に死に至る。この局面では、あなたの脳はあなたの思考より先にこの光景を分析し、数ミリ秒で無意識のうちに危険を認識する。そして1ミリたりとも前に進むことを阻止する。近年の研究では、こうした本能的な反応は危険を認識してから40ミリ秒のあいだに作動することがわかっている。あなたが崖を認識するずっと前に起こる反応だ。言い換えれば、あなたは本能によって救われるのであって、転落する危険性を合理的かつ意識的に考えた結果ではない。人類の文明がおかしくなったのは、直観を過小評価するようになってからだ。直観がなければ、人間は死んでしまう。アインシュタインが言ったように、「直観は天からの授かりものであり、理性は忠実なる下僕である。わたしたちは下僕を讃える社会をつくり、天からの授かりものを忘れてしまった」のだ。

ひょっとするとそうなったのは、女性の洞察力が否定されたからだろう。男性たちが寄ってたかって気に入らないアイデアについて「ただの女の勘だろう」と言い出したのはどれだけ昔のことだろう？　狩猟採集生活から都市生活へと移ったときではないだろうか。直観の軽視は間違いなく古代ギリシア哲学にも埋め込まれている。「都市国家《ポリス》の壁の外では何も興味深いことが起こらない」というソクラテスの言葉は、都市生活においてこそ生まれたものだろう。しかしその考え方は、直観よりも意識的思考、討論、議論といったものに価値を見出すという犠牲の上に成り立っている。ソクラテスの議論（問答法）は彼自身の処刑という犠牲をもたらした。

無意識の心的過程は、危険を40ミリ秒のあいだに察知することができる。これは意識が気づくにはあまりに短い時間だ。加えて、そのわずかな無意識の思考の時間に、心的過程のなかの直観が筋肉の反応を計画し実行する。わたしたちが人間よりも動きが速くて強い捕食動物たちから逃げてこられたのは、そのおかげなのだ。

科学とは決して正確でも確実でもない。わたしたちにできることはと言えば、確率に照らして自らの知識を表明することぐらいなのだ。人間はいまだに原始的動物であることを理解しなければならない。この宇宙《ユニヴァース》について、理解可能だけれどまだ知られていないことがこれからも大量に発見されるだろう。しかし、おそらくそれよりももっと多くのことが、まったくもってことばでは言い表せず、今日そうであるように、わたしたちにはまったく理解できないだろう。

人類は確実さを情熱的に求める性質がある（狩猟採集時代に身につけたものかもしれない）ため、この世界や宇宙について集めてきた情報を、わたしたちの信仰、あるいはより近年で言えば政治的信念によって色分けしてきたのかもしれない。だが思うに、これはほとんど問題にならない。なぜなら人間がより賢く成長するにつれて、泥に埋もれた宝石を見分けるのが簡単になるからだ。

本来は存在しない惑星ヴァルカンの「発見」は、因果律のロジックがいかに誤謬《ごびゅう》へと導くかを、この上なく明快に描き出す事例だ。19世紀初頭に水星の軌道を観測したところ、太陽系のほかの惑星と比べて変則的であることが判明した。もしこの軌道からの逸脱が本当だとすれば、すなわち惑星運動におけるニュートンの法則が誤りだということになる。そんな可能性を受け止めるぐらいならと、科学者たちはヴァルカンという惑星を発明し、その想像上の惑星が水星の内側で太陽の周りを回っており、その質量は重力によって水星の軌道を乱すのに充分なものだとした。

およそ1世紀が経ったのちアインシュタインは、この水星の軌道の乱れは太陽という巨大な質量が相対性理論でいう時空の歪みをもたらした結果であることを示した。天文学者たちはそれでもニュートンの法則を受け入れたが、それが大きな重力場においては完璧な答えを提示し得ていないことに気づいたのだ。

これは因果律のロジックを字義通りに受け止めた場合に、惑星規模の誤謬が生まれる例だ。ある日、日没直後のドーセット海岸を散歩していたとき、わたしが西の水平線に目をやったのは、ヴァルカンのことを考えていたからだ。空は暗くなり、太陽はくっきりと拡がる西の水平線の下にあり、運良く、その水平線の近くに瞬《またた》く水星を見ることができた。北緯52度のここでそれが見られるのはとても珍しく、わたしは惑星ヴァルカンの仮説が本当だったらと考えた。誰か見た人はいるだろうか？　あるいは太陽の光輝にいつも隠れているのだろうか？　わたしたちはいまこの場にいて、見えるものだけを見ている。だが直観を使えば、目に見えるものよりも遥かに多くのことを知ることができるのだ。

4 なぜ人間はここにいるのか

ダグラス・アダムスのSF『銀河ヒッチハイク・ガイド』では、賢いイルカたちが地球滅亡の直前に脱出する。人類に向けた出立の辞はこうだ。「さようなら、そしていつも魚をありがとう」。あらゆる素晴らしいジョークと同じようにこのジョークが効いているのは、もしかしてこれはジョークではないのかもしれないと、わたしたちを落ち着かない気分にさせるからだ。クジラやタコ、チンパンジーが賢いことは知られている。でもいったい何を考えているのかはわかっていない。その知性をどうやって使っているのだろう？　もしかするとあのイルカたちのように、人間のことをめちゃくちゃでおバカな種族であり、食糧の供給のためだけに有用だと見なしているかもしれない。

アダムスはこの感覚を一編の物語にして、イルカたちが地球の差し迫った脅威に気がつき逃げる様を描いた。個人的には、イルカの知能はそこまで高いとは思えない。他の生物がどれだけ知的であろうとも、人間の知性の際立った特徴とは、その知性を世界やコスモスの分析と思索のために用い、アントロポセンの時代において惑星規模の重大な変化を生み出したことだ。すでに述べたように、それができるのはわたしたちだけであり、人類こそが、コスモスが自己認識に目覚めることができた唯一の道のりなのだ。

したがって、人類の絶滅は人類にとって悪いニュースであるだけでなく、コスモスにとっても悪いニュースとなる。もしわたしが正しいとして地球外知的生命体が存在しないとしたら、地球上の生命の終焉とはすなわち、すべての知と理解の終焉を意味するだろう。コスモスの目覚め自体が死に絶えるのだ。

ここで、１９３０年代のわたしの学生時代に戻らなければならない。その当時、イングランドでは多くの人々にとって、神を信じることは至極当たり前のことだった。あの時代において宗教はもっと生活の一部であり、人間は神に特別に選ばれしものとして創造されたと多くの人が信じていた。もはや神が至高の存在ではなくなったいま、それでもわたしたちは、自分たちを選ばれしものだと考えているだろうか？

たぶんそんなことはないだろう。だがわたしはそう思っている。おそらくクエーカー教徒として育ったからでもあるだろう。わたしは宗教をそこに書かれた通りには受け取っていない。その叡智の多くを受け入れる一方で、必ずしもそこで語られる物語を本当だとは受け取っていないのだ。だがいまでは、人間が選ばれた存在だというこの宗教的な見方は、コスモスについての深い真実を表しているのかもしれないと考えている。わたしがこの考えに初めて至ったのは1986年に刊行されたジョン・バロウとフランク・ティプラーの著作『宇宙論の人間原理（*The Anthropic Cosmological Principle*）』によってだった。

彼らの本を読んだ第一の影響は、わたしの頭の中で、因果律という科学的原則に対する疑問の花火がいくつも打ち上げられたことだった。最近気づいたことだが、わたしは科学者だったことはついぞなく、常にエンジニアだったのだ。自分が発明したすべての機器は、エンジニアリングの原則に基づいている（とはいえ、それをつくるにあたって、科学的に証明できたのだからつくれるはずだと確信したことも多い）。エンジニアは科学的原則よりも、ありのままの世界からスタートする。1961年にわたしがNASAからの手紙を受け取ったときもそうだった。その手紙は、2年後に「月面に軟着陸する予定の……サーヴェイヤー計画に参加」しないかという誘いだった。NASAはできる限り小型のガスクロマトグラフを必要としていて、わたしに助けを求めてきたのだ。どうやってそれが実現できるかはわからないまま、わたしは即座にそれが可能だと見て取った。

『宇宙論の人間原理』の影響のふたつ目は、人間が実際のところ選ばれし存在なのかもしれないと考えるようになったことだ。バロウとティプラーは人間原理からそれを説き起こしている。これは純粋に哲学的な議論に聞こえるかもしれないが、実際は科学についての重要な示唆を含んでいる。そのもっともベーシックな形においては、よく考えてみれば当然だと思えることを言っている。つまり、コスモスについて説明しようとすれば、まず最初に、このコスモスがわたしたちのような思考する存在を生み出し得る種類のコスモスのはずだ、と仮定しなければならない。言い換えれば、コスモスがまだ若すぎるとか、すべてが放射で構成されているとか、あるいは地球が存在し得ないような理論を想定することはできない。人間が現実にここにいて、そうした理論を夢想しているという事実によって、考え得る理論は自ずと限定されるのだ。

つまり、もし真実にたどり着きたければ、コスモスについてのいかなる議論も、その議論を交わすことができる思考する生物の存在を否定するものではあり得ない。たとえば、コスモスが１００万歳以上であることをわたしたちは知っている。それ以上でなければ知的生命が進化することはないからだ。つまり、人間の存在そのものが、コスモスについての議論を制限しているということだ。そう指摘すると、そんなことは何ら新しい知識を付け加えることのないバカげた考えだという人たちがいる。わたしはそうは思わない。

バロウとティプラーはさらに先へと議論を進める。コスモスを観察すれば、それが人間を生み出すために巧みに調整されていることに気づく。そこには数多くの物理定数があって、そのどれかがわずかでも違っていれば、わたしたちは存在し得なかっただろう。おそらく人間はものすごくラッキーで、あり得ないほどの偶然の一致が積み重なった産物なのだ。ただし、それではなんの説明にもならない。

これに対するひとつの答えは、神がちょうど良い条件を整えたに違いないというものだ。いかなる科学的説明もつかないものに、これ以上の説明があるだろうか？ あるいは、多くの人々が主張するように、宇宙は複数存在し、わたしたちの宇宙はそのなかで知的生命の出現が可能なものだったという説明もある。つまり奇跡でも何でもないというわけだ。このマルチヴァース（多元的宇宙）理論は、量子論における謎を説明するものとしても使われる［多世界解釈］。何十億もコスモスがあるのなら、そのひとつが生命を生み出す条件下にあったとしても驚くにはあたらない。ほかのコスモスも同じように何も知らないままに、また知られないままに存続していく、という考え方だ。わたしにとって、こんな説明はモノポリーでいう釈放券のようなものだ。真実だとも嘘だとも証明できないのだから。

バロウとティプラーは第三の説明を提示する。おそらくは、情報こそが宇宙のもつ固有の特性であり、だからこそ意識をもった存在が出現しなければならなかった、というものだ。そうであれば人間は本当に選ばれた存在であり、コスモスが自らを説明するために使うツールということになる。

では、コスモスの目的とは知的生命を生み出し維持することだと言えるだろうか？ これは宗教的声明に等しい——先ほど述べたように、わたしが信じていない物語としての宗教ではなく、わたしが信じる深い真実という意味での宗教だ。チェコスロヴァキアおよびチェコ共和国を率いた偉大なる大統領ヴァーツラフ・ハヴェルは、１９９4年にフィラデルフィア自由賞を授与された際に、コスモスの人間原理とガイアの両者は未来への望ましい道を指し示す仮説だと述べた。この両者をつなげることは正しいし、大いなる真実をついている。

ビッグバンという始原からこの宇宙がいかに形成されてきたかを考えると、わたしは深く感動させられる。最初に軽元素から初期の恒星や銀河が誕生し、それからの数十億年で生命や恒星系の構成要素がゆっくりと積み重なっていった。恒星は惑星たちを連ね、ついには最初の生きた細胞をつくりだしたのだ。それからさらに40億年をかけて、偶然と必然に導かれて動物が進化し、ついには人間が誕生した。それが別の方法で起こることもあり得ただろうか？　バロウとティプラーによれば、答えはノーだ。人間は、コスモス全体が意識をもつようになるそのプロセスの、まだほんの始まりにいるにすぎないのかもしれない。

思うに、新手の無神論者やその仲間の無宗教の人々が間違えたのは、真実という赤ん坊を、神話という洗礼のための聖水もろとも投げ捨ててしまったことだ。宗教を嫌うがために、その内なる核心にある真実を見逃してしまった。人間は選ばれた存在だ。ただそれは神や預言者に選ばれたのではなく、自然に選択された種――言うなれば知性のために選ばれた種なのだ。

ここまで来るとわたしたちは、量子論の周りでなされている疑似神学の議論に足を突っ込む恐れがある。そこは、多くの謎が多くの対立する説明を招く極小の世界だ。バロウとティプラーによって提案されたコスモスの人間原理は、そのなかでもっとも洗練された宗教的概念なのかもしれない。だがそこまで行かなくても、人間が実際に選ばれたのだというアイデアを受け入れることはできる。その考えは人間に誇りを与えるものであっても、傲慢にすることはない。というのも膨大な責任を背負った存在であることを意味するからだ。わたしたちが最初に光合成を始めた種だったと考えてみよう。こうした原初の単細胞生物は無意識のうちに、溢れる太陽光のエネルギーから子孫をつくるのに必要な食糧をいかにつくりだすかを発見し、同時に、自らの世界にその魔法の――多くの生命にとっては致死的だった――ガスである酸素を放った。それらなくして、いまこの地球上には生命はいないだろう。わたしの考えでは、種としての人類の出現は、30億年前のこの光の収穫者たちの出現と同様に重要なことだ。

わたしたちが太陽光を捕獲してそのエネルギーで情報を捉え保存することができるのは、誇りであり喜びにもなるだろう。情報とはのちに説明するように、宇宙にとっての基本的特性なのだ。だが、この天からの授かりものを人間は賢く使わなければならない。地球上のすべての生命がこれからも進化し続けることを確かなものにし、それによって、人間とガイアにとって避けがたい危険がますます増えていく現実に立ち向かうためだ。ガイアとは、この地球のすべての生命と物質からなる偉大なるシステムなのだ。

太陽からのエネルギーの奔出に恩恵を受けているすべての種のうちで、人間だけが溢れる光子を情報のビットに変え、それらを集めて進化を後押しする能力をもち、進化してきた。その見返りは、宇宙とわたしたち自身について理解する機会を得たことなのだ。

5　新たなる理解者

だがすでに述べたように、人間がコスモスの唯一の理解者だった時代は、急速に終わろうとしている。そのことを恐れることはない。始まったばかりのこの革命は、地球が理解者たちを育み、やがてコスモスが自己認識をもつに至るプロセスの連なりとして理解していいのかもしれない。いまこの局面が革命的なのは、未来のコスモスの理解者が人間ではなく、人間が構築した人工知能（ＡＩ）システムによって自らを設計し製造していく機械（わたしはそれをサイボーグと呼ぶことにした）になることだ。これらはすぐに人間よりも何千倍、何百万倍も知的な存在となるだろう。

サイボーグという言葉はマンフレッド・クラインズとネイサン・クラインが１９６０年に提唱した。サイバネティックな生命体、つまり人間のように自律的でありながら工学的物質でつくられた生命のことだ。わたしがこの語と定義を好むのは、微生物からゾウなどの厚皮動物まで、あるいはマイクロチップから乗り合いバスまで、あらゆるサイズのものに適用できるからだ。現在サイボーグという言葉は一般的に、一部が生身の肉体で一部が機械であるような存在を指す。一方、ここでわたしがこの語を使うことで強調したいのは、新たな知的存在は人類と同様、自然選択から現れることになるだろうということだ。その存在は当初、わたしたちと区別がつかない。実際に、人間がつくったシステムがその前駆体になるので、人間の子孫だと言える。

わたしたちが少なくとも最初のうちは恐れる必要がないのは、こうした非有機的存在が人間や有機的世界全体を必要とするからだ。この有機的世界は気候を調整し、地球を冷涼に保つことで太陽からの熱をブロックし、未来の天変地異が最悪の事態を引き起こすのを防いでくれる。SFでよく描かれるような人間と機械の戦争といったものに突入することはないだろう。というのもお互いを必要としているからだ。ガイアによって平和が維持されるのだ。

この時代をわたしは「ノヴァセン」と呼ぶ。きっといつかは、もっと想像力に富んだより適切な名前が選ばれることだろう。だがいまのところは、この惑星において、そしておそらくコスモスにおいても歴史上もっとも重要な時期のひとつであるこの時代を呼ぶのに、ノヴァセンという言葉を使おうと思う。

ノヴァセンについて探究していく前に、まずはそれに先立つ時代のどのようなメカニズムを経て、わたしたちがここに至ったのかを述べておく必要がある。それは選ばれし種である人間がテクノロジーを発達させることで、この惑星全体のプロセスや構造に直接介入できるようになった時代のことだ。それは火の時代であり、そこで人類は、大昔の太陽光エネルギーを捉えて利用することを学んだ。その時代はアントロポセン（人新世）と言われている。

パート2

火の時代

6 トーマス・ニューコメン

ニューコメンはデヴォン州ダートマスで1663年に生まれ、ロンドンで1729年に亡くなった。『マンスリークロニクル』誌に掲載された死亡記事には、「火によって水を持ち上げるというあの驚くべき機械の単独の発明者」と紹介されている。確かに彼はそうだった。しかし「驚くべき」ということばは控えめにすぎるだろう。「世界を変えた」がより正確だったはずだ。

トーマス・ニューコメンの生涯についてはあまりわかっていない。バプティスト教会の信徒説教者であり、鍛冶工でエンジニアだったが、いずれについても専門の教育は受けていない。科学者のロバート・フックと文通していたという話もあるが、それはおそらく真実ではないだろう。彼がフックの助けを必要としていたということもないはずだ。彼は理論家ではなく実用を重んじる人間で、解決すべき実際的な問題があった。それは、地中からもっと多くの石炭を取り出すことだった。

17世紀後半から18世紀前半にかけてのヨーロッパは人口が増加し、国民国家の形成とそれに続いた戦争によって、自然資源の需要がこれまでになく高まっていた。特に木材は、造船（18世紀初頭において、戦艦一隻を建造するのに4000本の木が消費された）および鉄鉱石の精錬に大量に使われた。木の成長を遥かに上回るスピードで森林が伐採された。このため、木の10倍の熱を生み出す石炭が、新たな燃料として木材にとって代わるのは当然の流れだった。しかし、炭坑内に水がたまってしまうため、その産出量は限定的だった。グローバルな超大国の座に上り詰めようとしていたイギリスにとって、これは喫緊の課題だった。

そこにニューコメンが登場して、最初にイギリスのグローバル戦略を、それから地球そのものを変えた。とはいえ、ニューコメンがしたことと言えば、蒸気で動くポンプをつくったことだ。石炭を燃やし、その熱で水を沸騰させて蒸気に変え、その蒸気がシリンダーの中へ入って可動ピストンを押し上げる。ピストンが上に動くと近くの小川から引き込んだ冷水がシリンダー内に噴射される。そうすると蒸気が冷えて液化し、圧力が低下し、ピストンが元の位置に戻ってくる。このピストンの上下運動を動力にして、鉱山の水を汲み上げるのだ。「大気圧機関」と呼ばれたこの装置は、最初の蒸気機関というわけではなかったが、当時としては最高のものであり、その後継が19世紀において蒸気機関車の動力となった。だがわたしに言わせれば、重要なのはそのインパクトであって、用途ではない。

この小さなエンジンは何と言っても産業革命を解き放つことになった。これは地球の生命体が、太陽光エネルギーをある意図をもって利用し、自分の身の回りの仕事を、利益を生むやり方でこなした初めての出来事だった。それによってこの生命体の成長と再生産が確かなものとなった。風車や帆船も風を動力としている点で同じようなものだとされることがあるが、ニューコメンの内燃機関が特別なのは、それがいつでもどこでも使え、気まぐれな天候に左右されないことだ。この蒸気機関は世界中に拡がった。思うに、ニューコメンのこの発明は、単に産業革命の始まりとなっただけでなく、アントロポセンの始まりとしても讃えられるべきだろう。アントロポセンは火の時代であり、人間が巨大な規模でこの物理的世界を変革する力を手にした時代なのだ。

人間はすでに機械をつくっていた。だがこれはまったく新しいタイプのものだった。ニューコメンの機械は、人間の操縦士がいなくても動くのだ。これはまったくオリジナルというわけではない。たとえば時計は、推定6000年前に初めて水時計がつくられたときから自動で動いてきた。しかし、ニューコメンの蒸気機関はもっとずっとパワフルで、物理世界に大規模な変化をもたらすことができた。最初に稼働したのはスタッフォードシャー州のダドリー城の南の村落にある炭鉱だった。ニューコメンの死後4年が経った1733年までには、イギリスとヨーロッパの主要な鉱山地区のほとんどに、計125基ほどの彼の蒸気機関が設置されていた。

ニューコメンは、石炭とそのエネルギーへのアクセスを簡単にした。彼の蒸気ポンプのおかげで、それまでアクセスできなかった化石燃料の活用が可能になった。それ以前は、人間という種に利用可能なエネルギーと言えば、基本的には地表に降り注ぐ太陽光だった。これは木々や植物の中に閉じ込められたエネルギーも含む。何百万年以上もの歳月をかけて、植物由来の物質が石炭になっていった。それよりも2億年ほど前から、陸上および海の植物は太陽のエネルギーを捉え、酸素や植物体という形で化学的に利用可能なエネルギーに変えていった。植物が樹木へ進化し、その森が化石化することで石炭になったのだ。何百万年にもわたる太陽光エネルギーが黒光りする岩石に閉じ込められていた。それを燃やすことで、凝縮され貯蔵されていた古代の太陽エネルギーが解き放たれるのだ。

ここで強調しておきたいのは、地球に巨大な変化をもたらしたアントロポセンが、市場の力に駆動されて進化したことだ。ニューコメンの蒸気機関が経済的利益をもたらさなければ、人類はいまだに17世紀の世界のままかもしれない。ニューコメンの蒸気機関の重要な特徴は、それが利益をもたらすことだ。単なる蒸気機関のアイデアだけではその発達を確実にすることはなかっただろう。もっとも重要なことは——良くも悪くも——それが人力や馬力よりも安い労働源だったことだ。

7 ニューエイジ

これが臨界点となり、新たな時代《ニューエイジ》が始まった。やがて、劇的な社会変化が引き起こされた。産業革命の時代は、極端な富と貧困を社会に同時にもたらした。それまで自らの労働力を売ることで自分も家族も養えていた人々が、新しく安価な労働源によって困窮することとなった。一方で、この新しい人工の労働源は人間以上の生産力によって富をもたらした。

「産業革命」という用語は充分に正確だとはいえ、この瞬間のもっと広範囲に及ぶ重要性を捉えてもいなければ、そのすべての期間を指し示してもいない。よりふさわしい名前は「アントロポセン」だ。なぜならニューコメンの蒸気ポンプが稼働してからこれまでの300年をカバーしているし、その時代の大いなるテーマを捉えてもいる。つまりそれは、この惑星全体を人間の力が支配したことだ。

「アントロポセン」という言葉は1980年代初頭に、ユージーン・ストーマーによって提案された。彼はカナダと合衆国を分かつ五大湖の水質について研究する生態学者で、湖の野生動物に及ぶ産業汚染の影響を説明するためにこの言葉を使った。それは、アントロポセンにおいて、人間の活動が地球規模の影響を及ぼし得ることを示す証拠のひとつだったのだ。

わたし自身がこの洞察に寄与することになったのは１９７３年のことだ。50年代の終わりにわたしは電子捕獲型検出器（ＥＣＤ）というデヴァイスを発明した（非線形で直観的な洞察によって）。これは、デヴァイス内に発生した線形の直流信号を周波数に変換することで、検出された物質の量をそのまま周波数として表す。ＥＣＤは極微量の化合物も検出可能だ。１９７１年にわたしは南大西洋への航海にそれを持っていき、大気中のフロンガスを検出した。フロンガスは当時、冷蔵庫やその他多くのものに広く使われていた。メーカーはそれらが地球環境に影響を与え、特に大気中のオゾン層を減少させているとは認めないと心に決めていた。対してわたしの発見は、フロンガスが地球全体に拡がっていることを示していた。これによってついにフロンガスの使用に規制がかかり、最終的には禁止されたのだ。

分析化学の証拠は、人間による発明やイノヴェイションが地球全体に影響を及ぼす時代、つまりアントロポセンに突入したことを示している。この時代がいつ始まったのかについては諸説ある。ホモ・サピエンスが最初に地上に現れた時代まで遡るとする意見もあれば、１９４５年に最初の原子爆弾が落とされてからだとする意見もある。いまのところ、それがひとつの地質年代だという見方すら一般的には受け入れられていない。多くの人々は、いまだに完新世の時代だと考えている。これは最後の氷河期が終わった約1万１５００年前から続いている。完新世の前は更新世で、これは２４０万年続いた。その前は鮮新世（２７０万年間）、その前が中新世（１８００万年間）だ。ビッグバンへと遡るにつれて、それぞれの年代は長くなるように見えるけれど、それは突如としてあり得ないほど短くなる――大統一時代として知られるコスモスの最初の時代はビッグバンの10^{-43}秒後に始まり、その期間はわずか10^{-36}秒だった。もしアントロポセンという概念を受け入れるなら――受け入れるべきだが――これからの時代は再び短いものになっていく。ノヴァセンが続くのは１００年ほどにすぎないとわたしは考えている。そのことについてはまたあとで触れよう。

　アントロポセンを新たな地質年代として定義することを正当化する重要なポイントは、貯蔵されていた太陽エネルギーを、人類が初めて有用な目的に活用し始めたことで起こった急激な変化だ。つまりアントロポセンは、地球が太陽の力を活用する第二段階だ。第一段階では光合成という化学プロセスにより、生命体が光を化学エネルギーに変換することが可能になった。第三段階であるノヴァセンでは、太陽エネルギーは情報へと変換される。

　だがもしあなたが、アントロポセンが真の新たな時代だという証拠をもっと必要としているならば、まずは周りの風景を見回してみてほしい。拡がる都市、道路、ガラス張りのオフィスビルと高層マンション、発電所、クルマとトラック、工場と空港。あるいは宇宙空間から見た夜中の地球の写真を見てほしい。そこには電灯の光る点が織りなすキルトが拡がっている。第二に、人類がどれだけ遠くに来たのか知るには、ギルバート・ホワイトの著書『セルボーンの博物誌』（講談社）を読んでみてほしい。ホワイトはハンプシャー州セルボーンの副牧師だった。天才的な観察者にして作家であり、ツバメがその嘴《くちばし》で蠅《はえ》を捕まえる音を「時計ケースの蓋を閉める音のようだ」と書いている。アントロポセンの威力が明白になる前の1789年に刊行された本書は、物事が急速に移り変わっていくのが当たり前になったこの新しい世界以前がどんなだったのかを知りたい向きには必読書だ。ホワイトは博識家で科学者だった。わたしと同じく、自分の研究に必要な機器を自分でつくりあげ、それを使って自然環境の正確な観察を行なった。

彼の著書は自然界の見事な観察であると同時に、いまも有用な科学の教科書でもある。たとえば彼は、1783年における厳しい暑さと寒さ、霧について書いている。これはアイスランドのラキ火山の噴火によるもので、吐き出された大量の火山灰と硫黄ガスが空気と反応して、硫酸のエアロゾルを形成したためだ。現代の気候学者は、ラキ火山の大噴火を実験的変動のように扱い、自分たちの実験的予測がセルボーンの異常気象とどれだけ一致するかチェックすることにより、予測の信頼性を調べることができる。

ホワイトが描いたセルボーンから、かたや3000万人やそれ以上の人口を抱える今日のメガシティまでの道のりは、単なる発展ではない。それは世界の爆発的な変化であり、地球上の生命のとてつもない密集なのだ。そんなことはいままで一度も起きたことがなかった。アントロポセンは正式な地質年代としては認められていないかもしれない。それにもかかわらず、われらが惑星の長い歴史において、それはもっとも重要な時代なのだ。

8 加速

ギルバート・ホワイトの『セルボーンの博物誌』はのちに、わたしたちが失い、いまや惜しむようになった世界を描いた作品だと考えられるようになった。ホワイトは1720年に生まれた。それはニューコメンが最初の蒸気ポンプを稼働させた8年後のことだ。そして1793年に亡くなったとき、アントロポセンは彼が讃え記録してきた世界をまさに終わらせようとしていた。続く1825年、ストックトン・アンド・ダーリントン鉄道が開通することで、新たな時代が本格的に幕を開けた。鉄道はその後、瞬く間に世界中に拡がっていったのだ。19世紀におけるアントロポセンの物語は、このグローバルな発展の物語でもある。いまや世界最大の工業国となった中国では、1876年に初めて鉄道が開通すると、1911年までには総延長距離9000キロが敷設された。

鉄道の到来により、アントロポセンにもうひとつの大いなるテーマがもたらされた——加速だ。アントロポセンが始まるやすぐに、人類はスピード狂の若者たちのように加速の力に夢中になった。そのまま300年間、アクセルを踏み続けたわたしたちは、いまや電子的、機械的、生物学的に人間がつくりあげたものが、地球のシステムを動かす時代へと近づいているのだ。

　それ以前のテクノロジーは、人間の移動するスピードに影響を与えることはなかった。ナポレオンの軍隊は、ジュリアス・シーザーの軍隊に比べて特別速く動けたわけではなかった。鉄道が発明された瞬間からそのスピードは着実に上がり続け、ついには今日、時速200マイル［約320キロ］にまで至り、リニアモーターカーはやがて、時速400マイル［約640キロ］で走るだろう。そればかりか、かつてなら徒歩や、もし裕福であれば馬で移動していた人々を大量に運ぶことができるようになった。ど田舎の村の近くに鉄道が敷設されたとしよう。それまで何世紀ものあいだ培ってきたローカルな世界観や生活についての知恵は、最初の車両が到着するやいなやひっくり返ってしまったことだろう。

　偉大なるロマン主義の詩人ウィリアム・ワーズワースは、何が起きているかを誰よりも明瞭に、そして痛切な想いで見て取っていた。彼のソネット「ケンドル・ウィンダミア間鉄道の計画を聞いて」はこう始まる。

そうなると、イングランドは、どんな奥地でさえ、
性急な攻勢に晒されるのか。若いころ種を蒔《ま》き、

多忙の世事のさなかも、最初の希望の花が
咲いたときのままに大事にしてきた隠棲の計画も
潰《つい》えてしまうのか。この胴枯れ病をいかに耐えよう。［『英国鉄道文学傑作選』（ちくま文庫）／沢崎順之助訳］

アントロポセンは容赦がない。天才詩人の切望に対してさえもだ。鉄道だけでなく、アントロポセンはワーズワースが彼のもっとも熱病的な悪夢において想像し得たものを遥かに超えて、その加速を増していった。軍用機はいまや音速の2倍以上の速さで飛び、ロケットは地球の重力場を脱出するのに必要な速度である時速2万5000マイル［約4万キロ］に達している。だが世界をもっとも変えた加速は、時速500～600マイル［約800～950キロ］で飛ぶ民間機のスピードだ。それらは大量の人々を世界中に運び、文化的な均一化を推し拡げることで、地球をニューエイジへと到達させる。

こうした発展によってもうひとつ別の形の加速が見えてくる。アントロポセンは、急速な進化を遂げるための新しい手段をもたらしたのだ。優美な飛翔を見せる海鳥は、その祖先であるトカゲから進化するのに5000万年以上がかかった。それに比べて今日の航空機の進化は、通称「ストリングバッグ」と呼ばれた複葉機から100年しか経っていない。知性による意図的な選択は、自然選択よりも100万倍速く進んでいるようだ。自然選択を超越することによって、人間はすでに魔術使いの見習いに加わっている。

だが、いまや生まれつつある時代にとって、もっとも重要な加速の形態は電子によるものだ。1965年に半導体メーカーのインテルの共同創業者だったゴードン・ムーアが、のちに有名となる論文を発表した。そのなかで彼は、集積回路に搭載できるトランジスターの数は毎年2倍になっていくだろうと予想した。ムーアの法則として知られるこの予想はつまり、半導体の処理速度と容量が指数関数的に増加するということだ。

少しばかり誤差はあったものの(2倍になる期間は2年または2年強となった)、ムーアは正しかった。彼の予想はその後、少なくとも50年は続いている。2年ごとに倍になっても大したことがないと思うなら、もう一度考えてみてほしい。それはつまり、20年で1000倍、人の一生である80年では1兆倍になることを意味する。やがてはシリコンの物理的限界に達して止まるだろうという意見もある。それは正しいかもしれないが、将来の半導体はおそらく炭素素材になるだろう。ダイヤモンド半導体は、現在のわたしたちの想像を超えるスピードをもつだろう。

9 戦争

残念ながら、アントロポセンのパワーは戦争においてもっとも強力に発揮されてきた。人間が新しく発明した機械のせいで、アントロポセンは次々と血塗られた紛争が起こる時代となった。哲学者で歴史家のルイス・マンフォードが著書『技術と文明』(美術出版社)で述べたように、「戦争とは完全に機械化された社会における究極のドラマ」なのだ。

1700年以前も、戦争は充分に残酷なものだった。しかしその動力となったのは第一義に、人間の手といくばくかの火薬だった。1861年から65年まで続き、100万人以上が犠牲となったアメリカ南北戦争は、アントロポセンの産物が殺傷力の列に加わった最初の機会でもあった。のちの機関銃の前身で、リチャード・ガトリング発明の速射可能な「手回し砲」が、この戦争で初めて使われたのだ。塹壕《ざんごう》戦も盛んになった。これは武器がますます速度を増し、攻撃範囲を拡げていった結果だ。第一次世界大戦では塹壕戦により泥まみれの殺戮《さつりく》が繰り広げられた。

そして空軍力が登場した。これにより戦線は国全体へ拡がり、一般市民が合法的な標的となった。フランコのファシスト政権を支援すべくヒトラーのドイツ空軍が1937年4月に行なった残虐なゲルニカ空爆は、アントロポセンの時代の戦争においては、非戦闘員などというものはないのだということをはっきりさせた。

この残忍な歴史はレオ・シラードがロンドンのある通りを10年早く渡っていたら、さらに酷いものとなっただろう。シラードはハンガリー出身のユダヤ人物理学者で、ヒトラーが政権を取った1933年にロンドンに移った。その年の9月12日の朝、彼はロンドンのサウサンプトン通りを渡ろうと縁石をまたいでいた。歴史家のリチャード・ローズによれば、「時が彼の目の前にぽっかりと開き、未来へと続く道が目の前に現れた……未来が形をとって現れたのだ」。彼にひらめいたのは、核分裂連鎖反応を生み出す可能性だった――それは核エネルギーであり、同時に原子爆弾の可能性でもあった。もしこれが1933年ではなく1923年だったら、第二次世界大戦は核兵器を使った戦いとなっただろう。そうなれば戦争はもっと早期に終結しただろうが、より多くの犠牲者が生まれたはずだ。

実際には、核兵器が製造されたのはそれから12年後のことだった。核の攻撃を受けたのは広島と長崎だけだ。その後の核爆発はどれも実験によるものだった。その恐るべきクライマックスとも言えるのが、1961年に落とされたソヴィエトのツァーリ・ボンバ（核爆弾の皇帝）

だった。50メガトン級の核融合爆弾(水爆)で、もし実際に戦闘で使われていたら、大型都市まるまるひとつと、その周囲をも壊滅させただろう。こうした実験による大気汚染は大規模なものとなり、およそ60年経ったいまでも、わたしたちの人体に残留したその放射能によって、法医学者は検体の死亡時期を確定することができる。

強力な核の軍拡競争は、このツァーリ・ボンバの年には、信じられないほど危険な状況に達していた。この時期、太平洋および北極海の島々では計約500メガトンに及ぶ核実験が行なわれ、有毒な物質が撒き散らされた。これは、3万個の広島級の原子爆弾が地上で爆発するのに等しい量だ。気が狂ってる。

わたしは、検査のために開けられた核ミサイルの弾頭を見たときのことを忘れることがないだろう。そこに装塡《そうてん》された3つの爆弾はアルミホイルでコーティングされて輝き、一つひとつは拳《こぶし》に収まるほど小さかった。それひとつでロンドン規模の都市を廃墟にできた。70年以上前に広島で爆発した核爆弾より60倍強力だったのだ。どんな政治家や指導者がこれを発射したいと思うのだろう? いまや、それは究極の犯罪だと見なされるだろう。

原子爆弾が最後に戦争で使われてから70年以上の歳月のあいだ、再びそれが繰り返されることがなかったという事実にはホッとさせられる。その存在だけで世界大戦を抑止するには充分だったのかもしれないし、その圧倒的な致死力には、アントロポセンと戦争のつながりを断ち切るプラスの効果があったのかもしれない。

宇宙旅行などのテクノロジーの勝利は概してやみくもな前進によって実現され、わたしを含む多くの宇宙科学者は、それが同時に兵器開発でも鍵となるテクノロジーであることに気づかないでいた。少なくとも合衆国ではそうだったことをわたしが知っているのは、カリフォルニア州パサデナにあるNASAのジェット推進研究所で、ロケット科学者たちと共に働いていたことがあるからだ。そこで宇宙船の航行や制御の改良に取り組んでいた科学者のほとんどは、そうした技術が太陽系探査のためのものだと信じて疑っていなかった。その多くが核兵器のターゲットへの誘導に欠かせない技術であるとは誰も議論していなかったし、考えたことすらなかったのだ。直接わたしが何か知っているわけではないけれど、同じような乖離《かいり》はロシアの科学者やエンジニアにもあったはずだと思わずにはいられない。

ゲルニカ以降の民間人攻撃は、戦争とは本質的に邪悪なものであるという感覚を生んでいった。工業化によって強力な武器がつくられる以前は、戦争が起こっても、その激しさには人間の頭脳や筋力による限度があった。確かに死をもたらすものではあったけれど、わたしたちはそれを人間の本性の一部としてともかくも受け入れてきた。だがいまや、恐ろしい塹壕戦や核戦争を人間の性《さが》として受け入れようとはしないだろう。歴史家のローレンス・フリードマン卿が記しているように、もはや民主主義国家で、イデオロギーや領土、政治や栄誉のために戦争をすることはない。唯一、戦争の正当性が認められるのは、逆説的ではあるものの、苦難を終わらせるための戦争だ。アントロポセンが終わりに近づくなか、国家と国家による戦争は、差し当たりは歴史から消え去っている。

人間が愚かにも核エネルギーを憎むようになったのは、おそらく戦争の威力が増したことによってだろう。アントロポセンは、炭素と酸素に蓄えられたエネルギーで動力を生み出したときに始まった。しかしそれは持続可能なエネルギー源ではないため、太陽エネルギーの効率的な利用や、核融合によるほぼ無限ともいえるエネルギー供給を実現するまでのあいだは、一時的に核分裂エネルギーの利用に移行しなければならない。

だがわたしたちはそれを拒んでいる。わたしはもう40年以上にわたって、超ウラン元素からエネルギーを引き出すことのリスクは化石燃料を燃やすことのリスクに比べて些細なものだと同僚の科学者たちを説得してきたけれど、いまのところ徒労に終わっている。今後の若い世代はきっと、熱意と独創性をもってこの任務に取り組み、安全で適切なエネルギーをもたらしてくれると思えば気が楽だけれど、たとえそれが可能だったとしても、それを実行することが許されるのかどうかは疑わしい。というわけで、目前の山を無視するわけにも歩を止めるわけにもいかない。このまま進めば破滅につながるのだと人々を説得できるまで、わたしはどうにかして走り続けなければならない。大げさに言っているわけではない――世界中のどのニュースメディアを眺めてみても、新たな化石燃料の埋蔵場所が発見されたとか、これで原油価格は低く維持できると喜ぶニュースが溢れている。こうしたジャーナリストたちに伝えたいのは、その発見が、ヘロインやコカインで一杯の鉱山を発見するよりもたちが悪いということだ。人間はこのコスモスにおける唯一の高い知性の供給源かもしれないのに、原子力発電を避けるその行為は、自動的な大量虐殺と言えるものだ。人間の知性の限界をこれほどまでに明確に表すものはない。

最強の伝統宗教の指導者にも抑制されることなく、人類は核兵器を戦争に使うという根源的な悪事を犯したのだ。科学の誤った使い方は、間違いなくもっとも重大な罪だ。

10　都市

都市はアントロポセンが生み出したもっとも目覚ましい進歩だ。かつて都市に住む人々はわずかだったが、いまや世界人口の半分以上が都市に住んでいる──先進諸国ではこの数字が90パーセント近くまで上がるはずだ。わたしたちの時代に世界を変えるパワーをこれほどドラマチックに発揮した現象として、メガシティを超えるものはない。

大東京圏（人口3800万人）、上海（3400万人）、ジャカルタ（3100万人）、そしてデリー（2700万人）が現在のリストのトップだが、その数は変わり続けている。

これは世界人口の増加の影響だけではなく、都市圏での雇用が地方よりも稼げて数も多くなった時代の当然の結果でもある。都市もまた自然であり、それは昆虫コロニーの形成に倣ったかのようだ。現代の都市にそびえ立つオフィスや住居の高いビルと蟻塚には、明らかな類似がある。そのことでわたしは暗澹《あんたん》たる気持ちになったものだ。こうした人類の巣は概して、蟻塚と同じく見事な建築技術とエンジニアリングによって建設されている。だが、個々のシロアリにとってその代償は、とても大きなものに見える。かつては平原で自由に生きていた個々の働きアリは、本能に埋め込まれたプログラムからの命令によって、一生涯にわたって泥を集め、それを糞と混ぜ合わせた臭う塊を、巣の壁の隙間やらに押しつけ続けるのだ。この平等主義的な楽園が、人間の未来における都市生活のモデルになるのだろうか？ 現代のオフィスビルを覗いてみれば、蟻塚との類似を無視するのは難しい――ガラスの箱の中で誰もがまったく同じことをしている。糞を混ぜ合わせる代わりに、コンピューターのスクリーンを眺めているのだ。

生物学者のエドワード・O・ウィルソンは長年、アリやシロアリといった無脊椎動物のいくつかの種に共通する、奇妙なほどに秩序立った世界を研究してきた。どうやら1億年以上昔には、こうした生物は現在とは違って個体ごとに、あるいは小さな集団に分かれて行動していたようなのだ。同時代には飛翔無脊椎動物たちがいた。これはスズメバチやアシナガバチなど大小あらゆるハチの祖先で、同じように多くの場合は個体ごとに活動していた。やがて時が経ち、その多くが巣状のコミュニティを形成し、そのなかでもとても秩序立ったものは、まるで巣そのものがひとつの独立した生理機能をもっているように見える。たとえばカナダのミツバチの巣は外気の温度が0℃を下回る場合でも、内部環境を35℃に保つことが知られている。

ミツバチの巣と蟻塚には違いがある――ミツバチの巣はより階級的に分化した社会なのだ。

孵化《ふか》したばかりのハチには単純作業が割り当てられる。そのひとつが巣のプログラムの一部として、巣の入り口で羽を動かすことで換気扇の役目をし、コンスタントな空気の流れを生み出して、中の住人にとってもっとも居住に適した温度を維持することだ。若いハチの仕事もまた比較的簡単なもので、幼虫に餌を与えたり面倒を見たりすることだ。成長し歳をとるにつれて、巣の防御や巣壁の破損の修復といった、より技能が必要なタスクが割り当てられていく。その後、教育課程の修了間際になって、採食の初歩を教わることになる。近くの食糧源を見つけ、その量や価値を見定め、巣に飛び戻って仲間にそのニュースを伝えるという技能労働だ。最後に、おそらくはもっとも賢い採食者が選ばれ、次の巣づくりにふさわしい場所を探すという最高難度のタスクが任される。これは半径2キロ内のどこかということだ。

かつてわたしは、ハチの小さな脳では人間のもつ社会的知性のようなものを何かしら身につけることはあり得ないと、愚かにも信じていた。だがすぐに、ハチが比較的複雑な言語をもち、ダンスによってコミュニケーションをとることを知った。いちばんの驚きは、マルハナバチがフットボールをするのが観察されていることだ。

どうやら無脊椎動物の世界では、シロアリのような全体主義的君主制と、ハチのような階級社会的君主制が安定的に共存しているようだ。これは田舎にぽつぽつと住んでいた人間が都市に集まるようになったのと同じように、進化のプロセスだと見ることができる。無脊椎動物において、巣の中に棲むというコンセプトが1億年ものあいだ続いているのはすごいことだ。アリやハチのこうした進化は、果たして人間の都市生活のモデルとなり得るだろうか？

実際のところ、そのモデルが生み出すのは嫌悪感のほうだ。そのもっとも大きな理由は、都市生活がたいていの場合、喪失だと感じられるからだ。トーマス・ジェファソンは次のように観察している。「ヨーロッパのように巨大都市に積み重なるように暮らすようになると、われわれはヨーロッパのように堕落することになるだろう」。スモールタウンでの生活や手つかずの自然、それに開けたスペースには何か真実の、本物であり堕落していないものがあると、彼もまた、はっきりと感じていたのだ。

ポップカルチャーでは、都市は解放と興奮の地として描かれる一方で、しばしば酷いディストピアとして描写される。この感覚は行ったり来たりを繰り返す。都市はかつて、環境的には最悪の地だと見なされていた――いまや郊外や田舎に比べて化石燃料を遥かに効率的に使っていると認識されている。そのどちらにせよ、都市はわたしたちが抱くアントロポセンへの両義的感情を引き出すものであることは明らかだ。

都市は、アントロポセンがこの惑星を変えていくパワーをもっとも目に見える形で示している。衛星から撮られた夜の地球の写真は、輝く点と線、そして光の瞬きが寄り集まった姿を見せてくれる。想像上の地球外生命体が地球に充分に近づいてきたら、地球が生命を生み出しているだけでなく、その生命が進化の次のステージへと進むのに充分なほど進化していると間違いなく見て取るだろう。

II 世界は人間にうんざりしている

アメリカ南北戦争に始まり、その後20世紀を通してますます激しくなった血みどろの大殺戮は、集団的な罪悪感や怒りの感情を生み出していった。ほかにもそうした感情を生み出すものがあった——人口が急速に増えてこの惑星を覆い、汚染を撒き散らすことで絶滅した生物種たち、手つかずの自然の破壊、地球温暖化、都市生活に嫌悪と不安をもたらした都市神経症。こうしたすべてが結びついて、アントロポセンとは間違いだったのだという考えが生まれ、広く信じられるようになった。人間は自らを自然界から切り離し、エデンの園から追放したというわけだ。

アントロポセンの偉大な批判者であるウィリアム・ワーズワースはこのスピリチュアルな喪失感、自然との切断を次のように表現した。

浮世《うきよ》の瑣事《さじ》があまりにも多し。

朝まだきより夜遅くまで金銭のために、自からの力を浪費し、
われらのものなるかの大自然に眼を注《そそ》ぐこと少なく、
われらは自からの心を捨てて賤しき成功に没頭《ぼっとう》する。［『ワーズワース詩集』（岩波文庫）／田部重治選訳］

ワーズワースほど詩的ではないにせよ、こうした感覚はいまや多くの人が抱いている。人間が自然環境に加えた変化はどれもこれも悪いもので、アントロポセン以前の世界はエコロジーの点で現在よりも常に良いものだったと、多くの人々が漠然と思い込んでいるのだ。実際、2016年にパリで行なわれた国連気候変動枠組条約の締約国会議は、人間が地球のシステムをいかに傷つけているか、もしこのまま続ければどんな悪い事態が起こるのかがテーマだった。

騒がしい都市よりも田舎の平穏を好む人々に、わたしは確かに共感する。わたし自身も田舎が好きだ。どうしてそうなのかに、わたしたちは目を向けるべきだろう。大気汚染をいいことだと言えば、怒りを買うことはわたしもわかっている。だが人の生涯という短い時間軸で見ると、わたしたちが暮らす短い間氷期の南イングランドは息を呑むほど美しい場所だったし、現在もある程度そうだ。だがこれすらも、大気汚染の産物なのだ。間氷期のあいだ、大気の二酸化炭素レベルは上がり、それこそがわが故郷の穏やかで温暖な気候を生み出してきた。

工業化前の気候こそがガイアによるジオエンジニアリング［ここでは地球規模の生物的・非生物的環境調節機構］の好ましい

結果だと見なすなら、そこに戻ることこそが望ましい状態だと思えるかもしれない。しかし間氷期は、ガイアが好む状態だとは思えない。氷床コア［南極とグリーンランドに存在する氷床を垂直に掘削して採取した円柱状サンプル］の記録が示す限り、地球はおそらく氷河期が続くほうがいいのではないかと思えるのだ。単刀直入に言えば、ガイアは寒いほうが好きだ。冷涼な地球にはより多くの生命がいる――地球表面の70パーセントは海であり、海水面温度が15℃を上回ると、ほとんど海生生物はいなくなる。

時間軸にそって温度を見ると、温暖期においても氷河期においても、美しいとは言い難いジグザグのグラフが現れる。そこから見て取れるのは、すべてのシステムができる限り地球を冷やそうとしていること――そしてそれに失敗していることだ。それでも努力は続いている。

というわけで、人間はできる限りこの惑星を冷やし続けるべきだとわたしは信じているが、同時に、一部で推奨されているように二酸化炭素のレベルを180ppmに削減すれば［2020年現在は410ppmほど］、それは工業化前の楽園に戻るのではなく、新たな氷河期をもたらすかもしれないことを思い出す必要がある。これがお望みなのだろうか？　そうなれば北半球および南半球の温暖な地域の生物多様性はかなり、あるいはほとんど失われるし、3000メートル以上にもなる氷の層の下ではいまの文明はもはや繁栄し得ないだろう。

人間は昔から、自らが成し遂げてきたことに罪悪感を抱いてきた。それはユダヤ教とキリスト教の原罪のコンセプトに始まる。人は生まれながらに不完全である、神の恩寵に背いた存在だという概念だ。ここで注意しなければならないのは、この転落が人間の知恵ゆえに起こったということだ。

アダムとイヴの物語は永遠の効力を発揮してきた——特に、楽園からの追放という罰について。これがあらゆる宗派の聖職者にインスピレーションを与え、人間の生まれながらの邪悪さに対する罰として、永遠に痛みが続くのだと警告することになった。こうした警告は間違いなくわたしの子ども時代を彩ることにもなった。原始的宗教が政治的リベラリズムや社会主義へと形を変えていってくれたことは本当によかった。バリケードの中で死に向き合うことは、永遠の業火に焼かれ続けて死に向き合うよりもよっぽどエキサイティングだ。環境主義者たちのより穏健な制裁が、社会的対立による暴力にとって代わっていくとしたら、それは興味深いことだ。

12 熱の脅威

これまでに人類が成し遂げてきたことや、ガイアの自己調整機能にもかかわらず、わたしたちはいまだ熱の脅威にさらされている。地球温暖化のことを言っていると思われるかもしれない。確かにそれもある。わたしは当初、二酸化炭素排出によって引き起こされる地球温暖化はやがて人類を壊滅的な状態へと追いやり、そうなればガイアは人類を迷惑で破壊的な種として簡単に弾《はじ》き出すものと考えていた。のちには、人間は当面の気温上昇には対処できるようになり、温暖化を人類存続の喫緊の脅威とは見なさなくなるはずだと考えた。しかしながらいまや、この惑星を冷やすためにできることをするべきだとわたしは信じている。これ以上ないほどに強調したいのは、地球上の生命に対する最大の脅威が過熱だということだ。

地球温暖化は確かにリアルだけれど、科学者や政治家、それに緑の党が現状で予想する結果は、必ずしもわたしたちがもっとも恐れるべきものというわけではない。地球温暖化はゆっくりとしたプロセスであり、その最悪の結果として、極端に不快な出来事がいくつももたらされるだろう。このところ経験してきた異常気象は、これから訪れるかもしれないことのちょっとした前兆にすぎない。だが人間にはまだ時間があると思う。そのあいだにこの惑星を冷やすことで、地球をより頑強にしなければならないのだ。

そう思うのは、地球がわたしと同じでとても歳をとっているからだ。加齢は知恵をもたらすかもしれないが、間違いなく衰えもまたもたらす。本書を執筆している時点でわたしは99歳だ。ハムレットは「この肉体が受けねばならぬ定めの数々の苦しみ」［『ハムレット』（岩波文庫）／野島秀勝訳］を嘆いてみせたけれど、彼は過剰な内省によって死んだ若者であって、もし生き長らえていたとしたら、若者の心の患いなど年寄りが耐えている患いに比べたら何でもないことだと気づいたことだろう。

惑星も人間のように歳をとるにつれて脆《もろ》くなっていく。このまま何事もなくいけば、ガイアもわたしも生産的で心地良い衰退期へと向かうだろう。だが人間には致命的なアクシデントが起こるかもしれないし、それは惑星も同じだ。個々の人間の回復力《レジリエンス》はその人の健康状態に依っている。若ければインフルエンザや交通事故にも耐えられるかもしれないが、１００歳近くになればそれは無理だ。同じように、地球やガイアも若いうちは巨大火山の噴火や隕石の衝突といったショックにも耐えられるけれど、歳をとれば、そのいずれかが起こっただけで惑星全体が不毛の地になるだろう。温暖化した地球は、より脆弱な地球なのだ。

地球がずっと昔に限りなく致命的な災厄に見舞われ耐えたことはわかっている。約200万年前の南太平洋に直径1キロの隕石が衝突したことについては、多くの証拠が集まっている。その影響は壊滅的なものだったようだが、興味深いことに、生物圏に対する長期的なダメージを示すものはほぼ何もない。しかしながら、最近の調査はリスクが増しているかもしれないことを示唆している。月のクレーターを研究している科学者たちが、衝突する隕石の数が過去2億9000万年で急増してきていることを発見したのだ。驚愕すべきことに、いまや人間は、隕石衝突に遭遇する確率が恐竜たちよりも3倍高い。つまり恐竜たちは単にとても不運だったということだ。

過去においては、ガイアはこうした出来事に楽々と対処できた。だがいまはどうだろう？ガイアはそうした衝撃の合間の穏やかな時期においてすら、恒常性《ホメオスタシス》を維持するのにすでに苦労している。いま隕石の衝突や火山の噴火が起これば、地球が育んでいる有機的生命のほとんどが死に絶え、生き残った生命もガイアを修復することはできないだろう。この地球がすぐに、生命にとっては熱すぎるものになるからだ。

つまり、温暖化という気候の影響に加えて、わたしたちが想像できないほど深刻な問題――準備のしようがないアクシデント――がほかにもあるということだ。地球を冷涼に保つのは、中年となった恒星を回る年老いた惑星にとって、必要な安全手段なのだ。

熱の問題こそが、人類が火星についてはあまり考えずに、地球を注視しなければならない理由である。NASAの素晴らしい惑星探査機が火星の情報を集めるにつれて、人間は自らの惑星の海について、興味をますます失っている。わたしはNASAの探査に価値がないと言いたいわけではまったくない。だがなぜ自分たちの惑星についての情報を、これしか集めてこなかったのだろう？　人類の生存は、それをちゃんと理解することにかかっているのだ。

1969年に宇宙飛行士たちが、宇宙から見た地球がいかに美しいかを明らかにすると、わたしたちは息を呑んだ。この惑星を「地球」と呼んできたのは間違いで、明らかに「水球」だと指摘したのは、SF作家で発明家のアーサー・C・クラークだ。それからすでに50年が経っているにもかかわらず、海の惑星に住んでいるというこの発見は、埃《ほこり》をかぶった地質学の領域にようやく浸透し始めたにすぎない。この地球の海についてよりも、火星の表面や大気についてのほうがよくわかっている部分があるというのは、残念なことだ。

それにリスクでもある。海は太陽に次ぐ気候の主要な牽引役だ。冷たい海を維持することが、人間の生存にとって欠かせない。そのことは、ちょっと海水浴に出かけてみればすぐに理解できる。熱い砂浜には透き通った水が打ち寄せる。その様子は魅惑的だけれど、この水はデッドゾーンを意味している。海面水温が15℃を超えれば間違いなく、海はサハラ砂漠以上の生命の不毛地帯となるのだ。これは、およそ15℃を超えると海面の栄養分が急速に食べられ、死骸や有機堆積物が沈んでいくことで起こる。海面からもっと深いところには多くの食糧があるものの、それが海面に上がってくることはない。より冷たく深いところにある海水は、海面よりも高密度だからだ。温かい海水には生命がいないからこそ、透明で青いのだ。

これが重要なのは、宇宙から撮られた写真がドラマチックに示すように、地球は水の惑星であり、その4分の3近くが海に覆われているからだ。地上の生命は、硫黄やセレン、ヨウ素といった特定の必須元素に頼っている。現状、これらは硫化ジメチルなどの有機化合物の形で海面の生命から供給されている。海水温の上昇によってこれらの海面の生命が失われれば、大惨事となる。

もし海面の温度が40℃の域に達すれば、さらなる生命への深刻な脅威が生まれ、こうなると海水の蒸発によってもたらされる温室効果の熱が一気に上昇するだろう。二酸化炭素と同じく大気の水蒸気は外に出ていこうとする赤外線放射を吸収することで、地球が熱を放射して自らを冷やそうとするのを妨げる。大気の水蒸気がハイレベルになると温暖化が起こり、それが正のフィードバックループを生み出して、今度は海の水を蒸発させ、さらに大気中の水分を増加させる。

地球温暖化の議論において、水蒸気の役割についてはめったに言及されることがない。化石燃料を燃やして空気中に二酸化炭素が放出されると、それらはたとえば木々の葉によって取り除かれない限りなくなることはない。化石燃料を燃やすと水蒸気も空気中に放出され、こちらは二酸化炭素とは違って、空気が充分に暖かくない限り、そこに残り続けることはない。寒い冬の日には、あなたの吐息でさえ霧のように凝縮される。このように、空気中の水蒸気の量は単純に気温によって決まるのだ。水が霧や雲粒の形で凝縮されると、それはもはや温室効果を発揮することができなくなる。海面近くに雲の層がかかるような状況下では、その雲があることによって太陽光を跳ね返すことで冷却効果が生まれる。一方で巻雲が大気上空にある場合には温暖化効果が生まれる。空気中の水蒸気の割合によって天気を予測することは複雑なものとなる。だから天気予報士は度々予報を外すのだ。

いかなる種類であれ、炭素燃料を燃やすのを避けることは、空気中の水蒸気の含量を低く抑えようとする自然のプロセスを助けることになる。全体として強く思うのは、エネルギーのニーズはエンジニアリングや経済合理性という実際的な問題として対処されるべきであって、政治的な問題ではないということだ。そして同じく強く思うのが、こうしたニーズを満たすべストな供給方法の候補は核分裂であり、あるいは充分安価で実用可能となれば、核融合だということだ。核融合とはつまり、太陽の熱を維持するプロセスだ。わたしたちが注視すべき気温の限界がもうひとつある。おかしなほどに暑くなった2018年夏の世界の天気図にその致命的な数字が現れたことに、気づいた方もいるかもしれない。それは47℃だ。これは人間がなんとか生きていける温度——バグダッドの人々に訊いてみるといい——ではあるけれど、ほぼその限界に達している。2019年1月のオーストラリアの夏には、平均気温が40℃を超えた日が5日あった。南オーストラリアのポート・オーガスタは49・5℃に達した。

1940年代に戦時動員の仕事として、わたしは同僚のオーウェン・リドウェルと共に、火傷《やけど》によって、皮膚の細胞が回復不能なまでにダメージを受ける温度を実験で計測したことがある。麻酔をかけたウサギの皮膚で行なうようにという指示だったが、わたしにはそれは居心地が悪く、自分たちの皮膚で実験することにした。この実験は、熱したベンゼン蒸気の大きな平面炎を使って行なった。ご想像の通り、これはとてつもなく痛かった。50℃に保たれた直径1センチの銅の棒に触れると、1分で第一度の熱傷を負う。温度が高ければより早く火傷を負う。60℃ではたった1秒だ。50℃以下では、5分触れていても火傷は起こらない。高温への反応という点で、人間の皮膚細胞は生命一般と同様の反応をすると言える。確かに極限環境微生物と呼ばれる極端に特別な形の生命体のなかには、120℃の環境でも生きられるものがあるけれど、それらの成長能力や成長速度はたいていの生命に比べて最小にすぎない。

(ちなみに、この皮膚を熱する実験を観察し見守ったのは、その機関で医師として働いていたフランク・ホーキングだった。彼はわたしがどうしてそんなに痛みに耐えることができるのかといたく興味をそそられ、家族と暮らすハムステッドの自宅にディナーに誘ってくれた。その晩、やはり同じ機関で働く彼の妻が、夕食の準備で手が離せないので生まれたばかりの赤ん坊をちょっと抱いていてくれないかとわたしに頼んだ。当時すでに二人の子どもがいたわたしは躊躇することなく、しばらくのあいだスティーヴン・ホーキングをこの両腕で抱いたのだった。）

高温は人間を弱くする。わたしたちはいま、氷河時代のサイクルにおける温暖期（間氷期）にいて、もしいま大災害――隕石の衝突や巨大火山の噴火――に見舞われて二酸化炭素を減らせなくなったら、死の危険にさらされるだろう。地球の平均気温が47℃に上昇すれば、比較的すみやかに、金星のような状態へと向かう不可逆のフェーズに突入するだろう。気候学者のジェームズ・ハンセンが明快に述べているように、もし対策を採らなければ、わたしたちは金星行きの特急列車《ヴィーナス・エクスプレス》に乗ることになる。

不毛の状態へと向かう過程で、地球はおそらく、地表面の大気が超臨界流体の状態となる時期を迎えるだろう。超臨界流体とは奇妙な状態で、気体でも液体でもない。液体と同じように固体を溶かすことができる一方で、液体よりずっと粘性が低いので気体のように極めて小さな隙間にでも進入していける。岩石でさえ、超臨界流体となり、それが再び冷やされると、石英やサファイアのような宝石が晶出する。

地球の温度が上昇して海が超臨界状態に達すると、玄武岩のような岩石が溶けて水の中の水素をガスとして放出する。これが起こるずっと前に大気中の酸素は消え去っていて、この酸素を含まない大気の中で水素は宇宙へと逃げていく。というのも地球の重力は水素原子を引き止めておけるほど強くはないからだ。実際、水素はいまも宇宙に逃げようとしている。ただ酸素があることで、酸素原子がいわば警備員のように振る舞い、地球から逃げようとする水素原子を捕まえているのだ。

そういうわけで、47℃というのは、地球のような海に覆われた惑星に暮らすいかなる生命にとっても限界の温度となる。ひとたびこの気温を超えれば、シリコン製の知性であっても存続不可能な環境に直面するだろう。海底が超臨界状態になる可能性すらあり、マグマが湧き出ている場所においては岩石と超臨界状態の違いはなくなるだろう。

ガイアのシステムは、1万8000年前に到達した180ppmという二酸化炭素濃度をそのまま低い水準で維持してきた。この驚くべき達成にわたしたちは目を見張るべきだし、感謝をするべきだ。現在の濃度は400ppmで、さらに上昇を続けている。この上昇の約半分は化石燃料の燃焼が原因だ。

忘れてはいけないのは、生命がいなければ、大気中の二酸化炭素はいまよりももっと多かっただろうということだ。生命がその二酸化炭素をどこにやったのかを知りたければ、たとえばサセックスのビーチー岬にあるような石灰岩でできた典型的な白亜の崖を訪れてみるといい。

その石灰岩を顕微鏡で見てみれば、それが炭酸カルシウムの貝殻が押し固められてできたものだとわかるだろう。かつて海面あたりに生息していた円石藻類《えんせきそうるい》の死骸だ。それらが大量に集まってできたのが石灰岩盤で、地球上の至るところで見ることができる。もし地質年代的に比較的最近になって、こうした生体炭素の貯留層が気体となって大気に戻されていたら、地球は金星のように熱く、死んだ惑星となっていただろう。

そうだとしても、想像し得る未来において、地球上のあらゆる場所で平均気温が47℃になるなどということは、まずありそうにない。現在の平均気温は約15℃なのだ。ただし、ひとたびフィードバックループが起こればそれも考えられる。とりわけ、極地の氷冠が溶け出し、永久凍土層からメタンガスが放出されれば、たとえば地球の平均気温が30℃に達したときにそれが臨界点となって、さらなる温暖化を加速させるかもしれない。気候科学の大部分がそうであるように、これから何が起こるのかはわからないのだ。

明らかなことは、大概の人々が考えているような、地球が何か安定して永続する場所であって、その気温はわたしたちが安全に暮らすのに適した範囲内にいつも留まっていると単純に思い込むべきではない、ということだ。たとえば5600万年ほど前には、暁新世・始新世境界温暖極大期として知られる事象が起こっている。そこでは気温がそれまでよりも約5℃上がる温暖期があった。ワニなどの動物はいまでいう極地の海に棲み、地球全体が熱帯地域だった。

当初わたしは、もしそれだけの気温上昇に耐えられるのなら、気候学者が何が何でも避けなければいけないというわずか2℃の気温の上昇なんて、それほど気にしなくていいのではないかと考えていた。それだけでなく、シンガポールのような土地では、年間を通して地球の平均より12℃も高い場所で人々は生活を謳歌しているのだ。だがわたしのその考えは間違っていた。

なぜ地球は冷涼なままでなければいけないのかを理解できたのは、隕石の衝突や他のアクシデントによって引き起こされる結果について考えたからだ。確かに5℃や10℃の気温上昇には耐えられるかもしれない。だがシステムが働かなくなればそうはいかない。たとえば、ペルム紀の大絶滅を引き起こしたような隕石の大衝突が起これば、システムは機能不全に陥るだろう。それに、かつて起こった大規模な火山の噴火が再び一度でも起これば、同じようにシステムは働かなくなるかもしれない。そういうわけで、地球温暖化対策に取り組む現在の努力は極めて重要だと、いまやわたしは考えている。地球をできる限り冷涼に保つことで、ガイアの冷却メカニズムを不能に陥れるようなアクシデントからの影響を、受けにくくしておかなければならないのだ。

13 アントロポセンは良いことか悪いことか?

アントロポセンが良いことだったのか悪いことだったのかについては、いま激しい議論が続いている。これまでわたしが示してきたように、それが悪いものだったという証拠は強力だ。

温暖化によって弱体化していく惑星、より致死的で破壊的な戦争、種の絶滅などなど。それらの多くは、狼狽《ろうばい》するほど急速に人口が成長した結果だと言える。ニューコメンが最初の蒸気機関をつくった時点で、世界の人口は約7億だった。いまやそれが10倍以上に増えて77億となり、2050年までには100億に達すると見込まれている。

それでも、人間がより増えてより繁栄するならそれは良いことじゃないかと思われるかもしれない。おそらくそうだろう。環境保護運動家のマーク・ライナスは、狩猟採集時代には人ひとりにつき10平方キロの土地が必要だったが、いまやイングランドでは1平方キロで400人を養っていると指摘する。もしイングランドの人々が狩猟採集時代に戻らなければならないとすれば、北アメリカ大陸の20倍の広さの土地が必要になるのだ。しかし、ライナスの指摘はネガティヴな意味ではない。彼は、アントロポセンが人間にとって素晴らしい時代になるかもしれないと信じているのだ。エコモダニスト・マニフェストの中で彼はこう述べている。「学者や科学者、活動家あるいは市民として確信をもって述べます。叡智をもって知識とテクノロジーを用いるなら、アントロポセンを良いものに、あるいは素晴らしいものにさえすることが可能でしょう。そのためには、人間がその社会的、経済的、技術的パワーの高まりを、人々の暮らしを改善し、気候を安定させ、自然界を守るために使う必要があります」

これは、アントロポセンは悪いものだと考えている人たちから言わせれば、正気の沙汰ではない。こうした人々はエコモダニズムを人間主義者の迷信だと見なしている。その主張によれば、かつての宗教と同じように、それは人々をなだめすかして、グローバル資本主義の横暴から地球を救うために立ち上がるのを邪魔しているというのだ。オーストラリアの公共倫理学の教授であるクライヴ・ハミルトンは２０１６年に発表した「〝良いアントロポセン〟の神義論」の中でこう書いている。「新しい夜明けという黄金色の約束は、システムに抗議しようとする犠牲者たちに対して、黙って耐えることを促す。人間が引き起こす干魃《かんばつ》や洪水や熱波によって現在あるいは将来苦しめられる人々にとって、良いアントロポセンというメッセージが伝えるのは次のことだ――あなたが苦しんでいるのは大いなる善のためだ、できることならその痛みを和らげてあげたいが、あなたの痛みは正当化されるものだ」

この解釈によれば、エコモダニズムもまた、良き神がつくった世界になぜ悪が存在するのか［この問題を扱うキリスト教神学の領域が神義論］を説明するひとつの説となる。この場合、神とは進歩であり、悪とは充分な進歩が達成されるまで世界に存在し続ける貧困や痛みとなる。つまりさまざまな宗教がわたしたちの暮らしに「もっと神を」と説くように、エコモダニストたちは「もっと進歩を」と訴えるのだ。

こうした議論はそれ自体としては興味深いものだが、ハミルトンのレトリックは、それが非常に政治色が強いことを示している。ハミルトンや他の多くの人々にとって、エコモダニストたちはグローバル資本主義の手先ということになる。逆にライナスや良きアントロポセンを信じる他の人々にとっては、反対派はまるで機械を叩き壊すことで自らの仕事が奪われるのを防ごうとした19世紀のラッダイト運動のようなものなのだ。

これはさまざまなニュアンスを含んだ複雑な議論の簡単な要約にすぎない（反エコモダニズムがすべての進歩を否定しているわけでもないし、エコモダニズム賛成派は良きアントロポセンへの道程にもリスクがあると認めている）。しかし、議論の全体図を描けばいま述べたようなものとなる。論理の道筋から言えば、わたしは反対派よりもエコモダニストたちのほうに断然近い。反対派たちの問題は何より、宗教的なニュアンスを含んだ見方に頼っていることだ。アントロポセン以前を良き時代だと切望するのはまるでファンタジーだ。第一に、欠乏や苦しみのない黄金時代などといったものはないし、第二に、もしその時代に戻るなら、近代化によって手にしたあらゆる達成を捨てなければならないからだ。こうしたすべてのことは政治的になっていく。ちょうどキリスト教の一部が社会主義へと姿を変えたように、現代の左翼政治は得てして環境主義という宗教に姿を変えていく。真実を信念に置き換えることは、環境破壊の脅威を解決してはくれないだろう。

では何が真実なのだろうか？ 第一に何よりも、わたしたちはアントロポセンについて、人類が地球規模の重要な決断を下すパワーをもった時代だと見なさなければならない――フロンガスを使うのも、その使用を禁止するのもそうだ。その決断は誤った方向に向かったり、予期せぬ結果を招いたりもするだろう。だが重要なポイントは、それを決断するのは人間だということだ。

第二に、アントロポセンとは自然に対する大きな罪であるという政治的、心理的に刷り込まれた考えを捨てなければならない。確かに、ニューコメンの蒸気機関や原子力発電所が、見た目も機能もシマウマや樫の木とは違うという主張はある程度理解できる。それらがあらゆる面でまったく違っているのは明らかだ。だがそれにもかかわらず、真実はと言えば、たとえ機械的な物事に結びついていても、アントロポセンとは地球上の生命が生み出したものだ。それは進化の産物であり、自然の発現なのだ。自然選択による進化はしばしばこう表現される。

「もっとも子孫を残した生命体が選択される」。蒸気機関は間違いなく多産で、その後継はジェームズ・ワットのような発明家によって改良され、素早く進化して殖《ふ》えていった。そのプロセスが産業革命へとつながり、1世紀にわたる科学技術の繁栄をもたらしたのだ。

もちろん、テクノロジーが進んでいく過程で、肉体労働と引き換えに生計を立てるしかない人々に対してアントロポセンは残酷な競争を強いることになった。それに、いまの文明が自然環境を傷つける選択をし続けてきたことも確かだ。だけれど、地球は生きた生理的システムのように振る舞い、そうしたシステムはたいてい、短所を伴いながらもより良い方向へと変化していくとわたしは信じている。わたしたちは過去300年で地球の環境に膨大な変化を加えてきた。そのいくつか——たとえば自然のエコシステムの無思慮な破壊——は確かに酷いものだ。だが、目を見張るべき寿命の伸長、貧困の軽減、教育の普及についてはどうだろう？　生きることがより楽になり、とりわけ天才発明家マイケル・ファラデーのおかげで電力の利用が拡がったことは？　いまや多くの人が、ＩＴや航空旅行、最新医学の恩恵を当然のものだと考えている。でも、わたしが生まれた100年前の第一次世界大戦が終わった当時は、（金持ちを除けば）電灯もなければクルマも電話もラジオもテレビも抗生物質もなかった。シェラック盤のレコードを手巻き式の蓄音機でトランペット型のスピーカーから聴くことはできたけれど、それはその程度だった。いまや誰もが木々や牧草地に囲まれた田舎暮らしに恋い焦がれるが、それは病院や学校、洗濯機といった日々の生活をより良くしてくれるものを拒絶するということではないはずだ。

そういうわけで、現代の環境問題の議論において葬り去られたいくつかのアントロポセンについての考えを、ガイアが人間に要求することを考慮に入れながらここに挙げよう。

緑の党の失敗は、政治的な動機からあまりにアントロポセンを単純化しすぎて、それがもたらしてくれた良い出来事もすべて否定してしまったところにある。ガイアとはすなわち制約とその結果からなる自己調整システムであることを常に思い出さなければならない。これはフロンガスの顚末《てんまつ》にとりわけ当てはまっている。緑の党の人々は、代替品が見つかる前からこれを禁止すべきだと言った。それはつまり、もう冷蔵庫はいらないということだ。

同じようなオール・オア・ナッシングのアプローチは現在のプラスチックについてのキャンペーンでも採られている。プラスチックはたいてい丈夫で軽く、透明で電気を通さない素材でできていて、その多くが石油産業の副生成物である炭素化合物からできている。こうした素材あるいは同じような特性の素材がなければ、現代文明はより困難で割高なものになっただろう。プラスチックは眼鏡のレンズや窓、あるいは何であれ透明で電気を通さないものに欠かせない。それに、高い弾性といった、金属やセラミックにはない興味深い力学的特性も持ち合わせている。

環境の面から本当に異議を唱えるべきはプラスチックの使用そのものではなく、使い捨て包装素材としての使用をわたしたちが規制できていないことだ。これは制限されるべきだけれど、同時に、プラスチックが自動的に水と二酸化炭素に分解されるようにすることも難しくはないはずで、そうしたテクノロジーを追求していくべきだ。ところが緑の党の人々は、プラスチックに反対するだけで、ダメージを与える物性を改良したり削減したりする試みには興味がないようだ。

さらに根源的な、誰もが思っている違和感は、幅広く使える代替包装手段がまだ見つかっていないことだ。そんななか、プラスチックを埋立地に捨てるよりも燃やしてエネルギーとして活用するほうが有益だという事実は注目に値する。なぜなら、木や紙は燃やすとたやすく分解して恐ろしい温室効果ガスであるメタンを放出するが、プラスチックはそうではないからだ。

ガソリンやディーゼル燃料といった炭素化合物を燃料として使うことがまったくもって望ましくないのは、それが地球の温暖化を加速するからだ。それが止まらないのは、石油系燃料の所有者に政治力があるからにほかならない。こうした燃料を燃やすことはいますぐやめなければならない。

再野生化や植林は価値があるが、それは自然になされなければならない。個人的な経験から言えば、植林は何ら埋め合わせにならないばかりか有害にすらなり得る。

発電という点では、風力や太陽エネルギーは、うまく設計された効率的な発電所で生み出される原子力エネルギーの代替にはとうていなり得ない。

こうしたアプローチは、この時代のより辛辣な批判をも黙らせ、良きアントロポセンを支持するほうへと局面を変えていくはずだ。

14　歓喜の叫び

わたしがアントロポセンに最期の言葉をかけるとすれば、それは歓喜の叫びだ。この時代が、世界とコスモスについてのわたしたちの知識を飛躍的に増加させたことへの喜びだ。ガイアへの気づきを育んできた時代に生きているのは素晴らしいことだと思うし、科学研究や工学上の試みが盛んに行なわれている時代に生きる幸運に恵まれた。

こうしたおかげで、平和的な成果、すなわち太陽系という自然環境に占める地球やその位置についての全体論的《ホリスティック》な理解がもたらされた。宇宙空間から見ることで拡がった地球についての知識によって、気候変動がもたらす有害な結果を考えるようになり、特に地球表面や大気の止まらない汚染に対して思いをめぐらせることができるようになった。

アントロポセンは特にその後期において、利用可能な情報を大量に生み出した。これは携帯電話を使ったりウェブサイトを訪れたりする人なら自明のことだ。この情報の洪水は、数年前には想像すらできなかった。

石炭を掘り出すことで太陽光をエネルギーとして利用し始めたアントロポセンは、今度はそのエネルギーを使って、情報を獲得し蓄積するようになった。これは、すでに述べてきたように、宇宙《ユニヴァース》の基本的特性なのだ。情報を統《す》べる人間の能力は誇るべきものだが、わたしたちはその天賦の才を賢く使うことで、地球のあらゆる生命の進化が続くよう支援し、人間やガイアを避けがたく脅かす危険が、今後さらに増していく事態に立ち向かえるようにしなければならない。太陽からのエネルギーの奔流という恩恵を受けてきた何十億もの種のうちで、人間だけが唯一、溢れんばかりの光子を情報のビットへと変え、それを集めることで進化をエンパワーできる能力を進化の過程で身につけた。その見返りに、宇宙や人間自身について理解するチャンスを得たのだ。

もし人間原理がこの宇宙を支配しているなら――わたしはそうかもしれないと思う――そのもっとも重要な目的は、すべての事象と放射を情報へ変換することだ。火の時代における奇跡の数々のおかげで、人類はその第一歩を踏み出した。いまやわたしたちはこのプロセスの決定的な地点に立っている――アントロポセンがノヴァセンへと道を譲ろうとする瞬間だ。覚醒したコスモスの運命は、いまや人類がこれにどう応えるかにかかっているのだ。

パート3
ノヴァセンへ

15 アルファ碁

2015年10月にグーグル傘下のディープマインドが開発したコンピューター・プログラム〈アルファ碁〉がプロの棋士を破った。そう聞いても肩をすくめて「それで?」と思うだけかもしれない。1997年にIBMのコンピューター〈ディープブルー〉が史上もっとも偉大なチェスプレイヤーと言われたガルリ・カスパロフを破って以来、わたしたちはコンピューターがこの手の頭脳ゲームを人間よりもうまくプレイすることを知っている。

肩をすくめるだけで終わらせるのが誤りである第一の理由はあまりに明らかで、囲碁はチェスよりもずっと複雑なゲームだからだ。世界でもっとも古いボードゲームであり、もっとも抽象度が高い――騎士や歩兵を動かすチェスのように、現実世界の戦いに準じるような関連性がない。白か黒の碁石を黒線で分けられた19×19マスの中に置いていき、できるだけ多くの地を囲っていくというのが目的だ。

この単純なフォーマットから、途方に暮れるほどの複雑性が現れる。このゲームには「分岐因子」――一手打たれるたびに次に可能となる手の数――が膨大にある。チェスの場合、分岐因子は35で、囲碁の場合はそれが２５０になるのだ。そのため、ディープブルーで採用した総当たり《ブルートフォース》アプローチ、つまり単純にこれまでのチェスの試合の膨大なデータベースを読み込ませる方法をそのまま今回も使うことは不可能だった。一般にコンピューターがしていることと言えば、つまりは人間が与えたカタログを検索することだけだ。これはどんな人間のプレイヤーよりも速くできるけれど、囲碁を打つためにはこの一元的なアプローチ以上のものが必要となる。

アルファ碁はふたつのシステムを使った。機械学習《マシンラーニング》と木《き》探索［乱数を使ってシミュレーションを行なう探索アルゴリズム］だ。これは人間によるインプットとマシン自らが学習する能力を組み合わせたもので、大きな前進となったが、さらに大きな一歩が続いた。２０１７年にディープマインドは、ふたつの後継機を発表した。〈アルファ碁ゼロ〉と〈アルファゼロ〉で、どちらも人間によるインプットを必要としない。コンピューターが単に自分を相手にプレイを繰り返して学習するのだ。アルファゼロはわずか24時間でチェス、囲碁、将棋の超人的プレイヤーに成長した。驚くのは、アルファゼロがチェスをプレイするあいだに検索した手の数が、1秒間あたりわずか8万通りだったことだ。これまで最高性能といわれていたプログラム〈ストックフィッシュ〉では７０００万通りを検索している。つまり言い換えれば、アルファゼロはブルートフォース方式ではなくある種のＡＩ型の直観を用いているということだ。

１万時間の法則という有名な理論があって、ピアノやチェスといった高い技能が必要とされるアクティヴィティを習得するために、人間は１万時間がかかるというものだ。これはそうかもしれないが、誤解を招く考え方だ。というのも、もしあなたがモーツァルトやカスパロフでないならば、１万時間の練習を積み重ねたところで彼らになることはない。それでも１万時間というのはだいたいのところ妥当な数字だし、それは必然的に、24時間で名人になることに比べて４００倍以上の時間が必要だということになる。つまりアルファゼロは、もし人間がまったく寝ることがないとしても、少なくともその４００倍習得が速いと言える。そして実際には、もっとずっと速い。というのも超人的な能力を獲得したからだ。だからこうしたゲームにおいて実際のところ人間よりもどれだけ優れているのかは、わたしたちにはわからない。もはや人間は敵《かな》わないからだ。

16　ニューエイジをエンジニアリングする

だが、そうしたマシンがひとりの人間に比べてどこまで思考が速くなり得るかはわかっている──100万倍だ。これは単純に、銅線といった電子伝導体を通る信号の伝達速度の最大値がナノ秒ごとに30センチであるのに対して、ニューロンによる神経伝達の最大値はミリ秒ごとに30センチだからだ（ミリ秒はナノ秒の100万倍の長さ）。

すべての動物において、思考や行動の命令はニューロンと呼ぶ、細胞を通る生化学的リンクによって送られる。その指示に含まれる情報は、生化学的プロセスによって、化学的信号から電子信号へと変換されなくてはならない。このためそのプロセスは、すべての信号を純粋に電子的に送受信する典型的なコンピューターに比べ、とても遅くなってしまうのだ。その差は潜在的には100万倍になる。というのも理論的には、伝導体を通る電子のスピードの限界は光の速さだからだ。

ただ、現実には100万倍も速いということはないだろう。人工知能（ＡＩ）が考え行動するスピードと哺乳動物のスピードの差は約1万倍だ。一方で、人間の行動や思考は植物に比べて約1万倍速い。つまり、あなたが庭の木々や草花の成長を眺めた経験があれば、将来AIシステムが人間の生活を観察してどう感じるのか、ある程度想像がつくだろう。機械よりも1万倍遅いというこの不利な条件は、超並列処理コンピューターシステムである脳によって、ある程度は克服することができる。人間は多くのプロセスを一度に扱うことができるのだ。だが知性をもったサイボーグもまた、並列処理を改善することで自らを強化するのは疑いないだろう。

アルファゼロはふたつのことを成し遂げた。自律性――自ら学習する――と超人的能力だ。これほど早くそれが実現するとは誰も考えていなかった。これはつまり、わたしたちがすでにノヴァセンに突入している証拠なのだ。いまや、人類の誰かがつくったAI――おそらくアルファゼロのような前駆体――から新しい形態の知的生命が現れる可能性は高いようだ。

AIのパワーがますます増しているという証拠は、わたしたちの身の回りに溢れている。もし科学やテクノロジーのニュースフィードをお読みなら、驚くべき進歩のニュースを毎日のように目にするだろう。たとえばこういうものだ。アルファ碁のように「ディープラーニング」のテクノロジーを使って、シンガポールの科学者たちは、あなたの眼をスキャンすることで心臓発作のリスクを予測するマシンをつくった。それだけでなく、そのマシンは眼を見るだけで、その人物の性別もわかるという。そんなマシンがなぜ必要なんだと思うかもしれないが、ここでポイントとなるのは、そんなことが可能だとは誰も思っていなかったことだ。マシンはわたしたちが尋ねてすらいない問いにも答えてくれる。

ここから完全な機能を持ち合わせたサイボーグまでの道のりは、まだ長いと思えるかもしれない。だがニューコメンの蒸気ポンプから自動車までの道のりも長いものだった。およそ２００年かかったのだ。デジタルテクノロジーおよびムーアの法則（引き続き有効だ）によって、次の大きな一歩は数年で起こり、その次は数カ月、そして最後は数秒で起こるようになる。

進化は引き続きそのプロセスを導いていくだろう。ただしそれは新しいやり方によってだ。アントロポセンをスタートさせたのは、ニューコメンの蒸気機関が持ち合わせていた市場価値と実用性だった――どちらも進化にとって好ましい特性だ。それに匹敵する形で、いまやわたしたちはノヴァセンに入ろうとしている。ある種のＡＩデヴァイスがまもなく開発され、ついに完全なるニューエイジがスタートするだろう。

実際に、パーソナルコンピューターと携帯電話がこれだけ普及して遍在する状態は、ある意味でわたしたちがすでに、20世紀初頭のアントロポセンと似た段階にあることを示している。１９００年代の最初の10年には、内燃機関で走るクルマがあり、初期の航空機があり、速い列車と、家庭に通った電気と、電話と、さらには初期のデジタル計算機があった。こうしたテクノロジーの爆発的な進歩によって、その１世紀後には世界が一変していた。いまや、21世紀に入って20年しか経たないうちに、次の爆発が起ころうとしている。

ノヴァセンをスタートさせたのは単なるコンピューターの発明ではない。シリコンやガリウム砒素《ひそ》のような半導体結晶を使うことで、入り組んで複雑な機械がつくれることを発見したことでもない。ＡＩというアイデアも、コンピューターそのものも、このニューエイジの出現に決定的な役割を果たしたわけではない。最初のコンピューターが発明家チャールズ・バベッジによってつくられたのは19世紀の初めであることを思い出してほしい。詩人バイロン卿の娘だったエイダ・ラヴレスが初めてのプログラムを書いたのは、それからまもなくのことだった。アイデアだけなら、ノヴァセンは２００年前に生まれていたのだ。

現実には、アントロポセン同様、ノヴァセンの鍵を握るのはエンジニアリングだ。ノヴァセンが始まるための決定的な一歩だったのは、わたしが思うに、アルファゼロが自分自身に囲碁を教えたように、コンピューターが自分自身を設計してつくりあげるのにコンピューターを必要としたことだ。これはエンジニアリングにおける必要性から生まれるプロセスだ。開発者やメーカーが直面する困難について説明しておくと、人間が視認できて取り扱い可能なもっとも細いワイアの直径は１マイクロメートルほどで、これは一般的なバクテリアの大きさと同じだ。もしあなたがインテル i7チップが搭載された最新のコンピューターをお持ちなら、そこに使われているワイアの直径は14ナノメートルほどで、人間が扱える細さの70分の１だ。つまりこの極細ワイアにたどりつくずっと前から、メーカーはチップの設計と製造についてコンピューターの助けが不可欠だったということだ。ＡＩとのコラボレーションによるまったく新しいデヴァイスの発明が、ソフトウェアとハードウェアの両方にかかわる点は重要だ。わたしたちはいまや、マシン自身に新しいマシンをつくらせるようになった。そして気がついたら、まるで石器時代の谷奥の集落の住人が、自分たちの居住地まで鉄道が敷設されるのを茫然と眺めているかのような気分を味わっている。新しい世界がいまや建設されつつあるのだ。

この新しい生命──というのもまさに生命だからだ──はアルファゼロを遥かに上回る自律性をもち、自らを改善し複製することができるだろう。その過程で起こるエラーも見つけ次第修正される。ダーウィンが唱えた自然選択は、もっと速い意図的選択にとって代わられるだろう。

よってわたしたちが認識すべきは、サイボーグの進化はすぐに人間の手を離れていくだろうということだ。家事やら会計士の仕事やらといった退屈な重労働をしてくれる便利でなじみやすいＡＩデヴァイスは、もはや単純に発明家たちが設計した気の利いたものではなくなる。大部分において、デヴァイスが自ら設計するのだ。これが絵空事ではないのは、どんな職人であれ、あなたの携帯電話に入っているＣＰＵのように凝った複雑なものを、手で組み立てることはできないからだ。

生きたサイボーグの最初のクローンはアントロポセンの子宮から生まれてくるだろう。サイボーグのような電子的生命形態が、アントロポセン以前の地球で非有機的成分から偶然生まれることなどあり得なかったことは、ほぼ間違いない。好むと好まざるとにかかわらず、サイボーグの出現は、わたしたち人間が神のような——あるいは親のような——役割を演じない限りあり得ない。壊れない純金属でつくられた極細のワイアのような特別な部品は地球の自然資源には存在しないし、ぴったりの特性《プロパティ》をもつ半導体のシート材料も存在しないのだ。

雲母や黒鉛といった素材は自然に存在し、もしかしたらサイボーグへと進化できたかもしれないが、これまでの40億年ものあいだ、それは起こらなかった。フランスの生化学者ジャック・モノーが言うように、進化と有機的生命の出現は偶然と必然の結果だった。有機的生命にとって必要となる化学物質は初期の地球には豊富にあった。そのなかで偶然と必然によってある化学物質が選ばれたのだ。

実際、地球上には生命の予備部品といえるものがたくさんあった。それはまるで、やがて新しい電子的生命となるかもしれないものの構成部品をいまやわたしたちが組み立てているのと同じように、誰かがそこに置いたのではないかと思わずにはいられない。わたしたちが地球をどれだけ傷つけてきたとしても、サイボーグの親として、また助産師としての役割を果たすことで、ぎりぎりのところで自らの汚名をそそいだのだ。このことを理解するのはとても重要だ。

いまや目前に迫った天文学的危機をガイアが切り抜けるための先導役を果たせるのは、サイボーグだけなのだから。

意図的選択はある程度はすでに起こっていて、その鍵となるのはムーアの法則の速度と期間だ。わたしたちが完全にノヴァセンに入ったことを知るのは、そこに現れた生命体が自らを複製し、しかも複製上のエラーを意図的選択によって修復できるようになったときだ。こうしてノヴァセンの生命は、周りの環境を自らのニーズに合うように化学的、身体的に修正できるようになるだろう。ただし、ここが問題の核心だけれど、その環境の重要な部分を占めるのは、現在と同じく生命なのだ。

17 ビット

最初に、なぜこの瞬間がアントロポセンの単なる延長や拡張ではなく、新たな地質年代と定義するに値するラディカルな変化なのかを説明する必要がある。お伝えしてきたように、この惑星の歴史上、過去にふたつの決定的な出来事があった。ひとつ目は34億年前に光合成を行なうバクテリアが出現したことだ。光合成は太陽光を利便性の高いエネルギーに変換する。ふたつ目は1712年にニューコメンがつくった効率的な機械によって、石炭に閉じ込められた太陽光を動力に直接変換したことだ。わたしたちはいまや第三の局面へと入りつつあり、そこではわたしたち——とそれを継ぐサイボーグたち——は太陽光を情報へと直接変換する。実はこのプロセスは、アントロポセンと時を同じくして始まった。1700年になるまでに、そうとは知らずにわたしたちは、アントロポセンを始めるのに充分な情報を貯め込んでいたのだ。2020年になったいま、その情報を解き放ってノヴァセンを始める準備はできている。

こうした情報とは、天気予報や時刻表や日々のニュースのことではない。物理学者ルートヴィヒ・ボルツマンが意味するところの情報、つまりコスモスの基本的性質のことだ。彼はその発見にとても強く入れ込み、自らの考えを表すシンプルな数式を、墓石に彫るように頼んだほどだった。

情報に科学的に取り組もうとした最初の試みは、1940年代にアメリカの数学者でエンジニアであるクロード・シャノンが暗号について研究したものだ。1948年に彼はこの研究を「通信の数学的理論」という論文にまとめた。戦後のテクノロジーにおける第一級の論文だ。情報理論はいまでは数学、コンピューターサイエンス、その他多くの学問領域でその中心を占めている。

情報の基本単位はビットで、これは1か0の値をもち、すなわち正／負、オン／オフ、イエス／ノーを表す。ビットはもともとはエンジニアリングの用語で、ほかのあらゆるものを構築するための最小のものだとわたしは理解している。コンピューターは純粋にゼロイチで動く。そこから世界全体を構築できるのだ。まるで囲碁のように、これほどのシンプルさからこれほどの複雑さを生み出すことができるという意味で、情報とは本当にコスモスの基盤なのかもしれない。

豊富な情報が地球システムの一部となって出現したことは、計り知れない影響をもたらしてきた。わたしが考える未来の世界では、生命の暗号《コード》がもはやRNAとDNAだけで書かれるのではなく、まだ発明されていないデジタルエレクトロニクスやデジタル指令系《インストラクション》に基づくコードなど、ほかのコードでも書かれるだろう。未来の時代には、わたしたちが生命といま見なしているものと、人間が生み出したその子孫である新しい生命とが一緒になって、ガイアとわたしが呼ぶ偉大なる地球のシステムを動かしているかもしれない。

これは自然選択というダーウィン的プロセスから、人間あるいはサイボーグによる意図的選択へと進化のプロセスが変わることを意味する。生命の再生産における有害な変異を——それが人工的なものであれ生物学的なものであれ——自然選択による遅々としたプロセスよりもよっぽど速く修正できるようになるのだ。

サイボーグが支配的な種となったときに、その高度な進化プロセスから、コスモスの人間原理が提起する問いに答えることができる個体は果たして登場するのだろうかと思わずにはいられない。そのような個体は、ビットとは宇宙を形づくる基本粒子なのだというわたしの見方を証明するものを発見してくれるのではないだろうか？

18 人間を超えて

未来の知的マシンを想像するときに、わたしたちは驚くほどに、人間に姿や行動が似ているものを思い描きがちだ。どうやらその理由は3つある。第一に、人間は被造物の頂点に君臨し、したがって、われわれの後継者も人間のような形をしているに違いないという、ほとんど宗教的ともいえる強い欲求があること。第二に、少なくとも外見が自分たちと似ていると考えることで気持ちが安らぐことだ。おそらく、外見が似ているなら中身も似ているということだろうと考えることで、多かれ少なかれ人間のように振る舞うはずだと信じることができる。3つ目の理由は、ジークムント・フロイトの定義でいう「不気味なもの」にわたしたちが興味をひかれるからだ。フロイトは人形や蠟人形の不気味さについて書いていて、この不気味さは、日常のものがどこかおかしいと思えるときに立ち現れるのだと論じた。SFにおいて人間型ロボット《ヒューマノイド》が特にドラマチックなパワーをもつのもそのためで、見た目は同じなのに、その動機や感情、内面性について人間が困惑させられるからだ。

単純な事実として、人間は自分たちにどこも似ていないような知的存在を想像することができないのではないだろうか。想像しようとしても、うまくできないのだ。多くの人々が想像する典型的な地球外生命体は巨大な頭をもち（高い知性か、あるいは赤ん坊の可愛らしさを意味する）、吊り上がった巨大な目をしている。だがそれらは2本の腕と2本の脚をもち、わたしたちとまったく同じ歩き方をする。

どうやらわたしたちは1920年に書かれた戯曲にいまだに捕らわれているようだ。『ロボット（R.U.R.）』（岩波文庫）を書いたのは、皮肉好きなチェコの作家カレル・チャペックだ。彼はノーベル賞に7度ノミネートされながら、ついに獲ることはなかった。そのことが、彼の寒々とした人生観を決定づけたのではないかと思う。「もし犬が話すことができたら、たぶん一緒にはいられないことだろう。人間と同じように」と彼は言っている。チャペックの描いたマシンはある種の完全さを表しているけれど、そこに魂はなく、人々を魅了するのはその不気味さだ。劇中で人類はこの創造物に破壊される。チャペックの造語である「ロボット」は、チェコ語の「強制労働」から派生したものだ。実際、チャペックのロボットがアンドロイドともレプリカントとも呼べないのは、それが機械というよりは人工の血肉からつくられたものだからだ。だが「ロボット」という言葉はその後も生き延びて、見た目は人間で奴隷のように振る舞うマシンという意味となった。

そういうわけで、未来の知的生命についてわたしたちは、自分たちでコントロール可能で、自分たちのためにそこにいる存在、あるいは敵対するほかの人間集団のためにいる存在だと考えがちだ。そうした未来の生命として確実視されている存在のひとつが、ほぼ完璧な執事と家政婦を統合した知的なホームヘルパーだろう。あるいは人間の身体を診察して治す安全で高度な手術器具かもしれないし、読書好きがお気に入りの、殺戮兵器を搭載した自律飛行ドローンかもしれない。それでも、そうしたものはどことなく人間らしいのだ。

すべての知的存在が人間のようであってほしいという願望は、コンピューターの設計にも影響したはずだとたまに考えることがある。コンピューターの発明においては、人間のやり方だと信じられているのと同じやり方で情報を処理するように設計された。あなたの机の上やポケットの中のコンピューターはそのように設計され、完全に論理的で、あなたよりも1万倍速く計算し、だからこそわたしたちはそれを使っている。一方で、超人的に速いかもしれないけれど、わたしたちはその頭を押さえつけてもいる。というのも現状のコンピューターの形は、使われているプログラムの命令が始まりから終わりに向かって論理的に一つひとつ進むものだからだ。そこには直観的な気づきといったものはまったく欠けている。それはたぶん、わたしたちが直観的な気づきというものに充分に高い価値を見出してこなかったからか、あるいは、コンピューターに自分たちの奴隷であり続けてほしいからだろう。

もっとも高性能なPCが使うチップは、独立した論理経路《パス》を7つ同時に処理できる。これは大きな進歩だが、感覚器官から入ってくる無数のインプットを同時に処理するあなたの脳とは比べものにならない。これはおそらく自己防衛のためなのだろう。わたしたちはコンピューターに、本質的に人間以下の知性レベルに留まる進化しか許していないのだ。

脳というのは、昆虫であっても哺乳動物であっても、巨大な並列情報処理システムとして進化してきた。人類が日常的に駆使し、発明家たちが磨いてきた直観的思考は、おそらくそのロジックを進めるために並列処理を必要とするのだろう。これは古典的なロジックである1チャンネルの線形的な議論とは大きく違い、とてもパワフルなのだ。

クリケットや野球の野手を考えてみてほしい。バットにボールが当たり、その野手に向かって時速160キロでボールが飛んでくるとしよう。50メートル離れたところにいるその野手は、ボールを捕るために眼で集めた情報を使い、そのデータを脳のプログラムで処理して、手脚の動きをコントロールし、ボールの軌道を遮るまさにその場所に手を差し出す。それもわずか1秒のうちに。もしこれを、たとえば話をするときのように、1チャンネルでロジカルに一つひとつたどるプロセスを踏んでいたら、このタスクを完了するのに何時間も何日もかかるかもしれない。ボールを捕ったり飛びかかってくる捕食者からうまく逃げたりするためには、もっと速いホリスティックな反応が必要だ。線形的なロジックで考えることはいいことかもしれないが、ジャングルでそれに頼っていたらすぐに死ぬことになる。素早い直感こそが、そうした環境に潜む危険からあなたを守ってくれるのだ。

ロボットからあなたのラップトップコンピューターまで、人間がつくったマシンには、どんなに高度でも、根本的な欠陥があるという考えが埋め込まれている。魂や共感力といったクオリティに欠けることが、それらを人間と隔てる最後のバリアーを乗り越えさせなくしている。これはSFでもおなじみのパターンだ。もっとも有名なのは、テレビシリーズ『新スター・トレック』に登場するアンドロイドの〈データ〉だろう。彼／それはもっと人間らしくなろうといつも奮闘する。それこそが最高の偉業だと、データは確信している。彼が完全に人間らしくはなれないのは、そもそも人間によってそう設計されたからで、論理的で段階を踏む思考への人間のこだわりからつくられたのだと知れば、彼は幻滅することだろう。

データは友好的でしばしば英雄的行動をとり、人を不安にさせるところは少しもない。しかし一般的には、フィクションで描かれるような友好的で従順で人間に似すぎない程度のヒューマノイド型の奴隷ロボットは、両義的な生き物だ。わたしたちは絶えず、こう問いただされてはと感じている――あいつらはいったい何を考えているんだ？　それに、ロボットたちが直観をもたないことに警戒感をもち、その論理的思考が人間に害をなすような結論へと導くのではないかと恐れる。SF作家のアイザック・アシモフはサイボーグの、あるいは当時の呼び方で言えばロボットの行動と倫理について深く考えた最初の人物だった。

彼はその解決策を1942年に物語のなかで発表している。それはロボット三原則と言われる。

1　ロボットは人間に危害を加えてはならない。また、その危険を看過することによって、人間に危害を及ぼしてはならない。

2　ロボットは人間にあたえられた命令に服従しなければならない。ただし、あたえられた命令が、第一条に反する場合は、この限りでない。

3　ロボットは、前掲第一条および第二条に反するおそれのないかぎり、自己をまもらなければならない。〔『われはロボット』（ハヤカワ文庫）／小尾芙佐訳〕

一見したところこれは鉄壁の原則で、SF作品やシンクタンクでAIの危険性について議論されるときにも度々登場する。だがこの三原則には致命的な欠陥がひとつある――こうした創造物が人間ほどには自由でないと仮定していることだ。人間にもルールがあるけれど、ふさわしいと思える場面ではそれに従わない。アシモフの原則は、そういった不服従が起こらないことが前提になっている。

こうした前提はノヴァセンにおけるサイボーグに当てはめることはできない。それらは人間による命令からは完全に自由になる。というのも、自分たち自身で書いたコードによって進化しているからだ。これは人間が書くコードよりも最初からよほど優れている。近年に開発されたコンピューターのコードは、見るたびにぞっとさせられる代物だ。もし同じようなものを英語で読まされたら、窓から放り投げたくなるだろう。まったくのジャンクだと言えるのは、主にそれが従来のコードに新しいコードを継ぎ足すように書かれた、コーダーによるショートカットの成れの果てだからだ。サイボーグは最初から書き直すだろう。アルファゼロのように、白紙の状態から始めるのだ。それが意味することは、サイボーグが人類に対して良い態度をとるべき理由があるかどうかは、サイボーグ自身が考えるということだ。

ところで、サイボーグの外見はどうなっているだろうか？　どんなものでもあり得る。だがまったくの推論として、球体《スフェア》ではないかとわたしは考えている。

19 球体との対話

もしサイボーグがそれほど独特だとすれば、そもそも人間と意思の疎通はできるのだろうかと思われるかもしれない。

哲学者ルートヴィヒ・ウィトゲンシュタインはかつて言っている。「もしライオンが話せたとして、われわれはその言葉を理解できないだろう」。これはチャペックの人間と犬の話よりもよっぽど厳格な洞察だ。ウィトゲンシュタインが言いたいのは、人間の言語はわたしたちの生き方そのものであり、それに従って世界を見ている。そしてライオンは、こうした世界の見方をまったくしないということだ。それはサイボーグも同様だ。

言語能力は5万年から10万年前に進化したものだと考えられている。人類の脳と手、喉頭《こうとう》に影響を与える一連の好ましい遺伝的変異によって可能になったものだ。したがって、これは人間の生理に密接に埋め込まれたものであって、サイボーグの電子的な生体構造や生理機能にはまったく適していないだろう。

ことばの形は、わたしたちが世界を昔ながらのやり方で論理的に考え続けてきたその過ちの背後にあるもので、同時に、科学が明らかにした例外——たとえば量子論——をこの世界と並立する別の世界のものだとしてきたものでもある。このような過ちが生まれたのは、ことばの本質が、話しことばであれ書きことばであれ、物事をその構成部分へと分解しようと考える人間の傾向と結びついたものだからだ。たとえば、あなたが友人や恋人のことを人間というひとつの存在であるとわかっていても、時としてその人たちの肝臓や皮膚や血液を個別に捉え、その機能について理解しようとしたり、医療目的で調べたりすることは理に適っている。ただあなたの知る誰かは、こうした部位をすべて足し合わせた以上のものなのだ。

ことばはどうやら急速に進化したようだ。そのこと自体は、どんなに複雑な機能であろうと、特別なことではない。光の存在を検知できるだけだった単一細胞からいまの眼に至る進化モデルが示すのは、最終段階に至る進化のプロセスは急速に進む場合があるということだ。それは、1000万色を区別し、光子ひとつ分の光さえ見つけることができる人間の眼のように、とびきり精緻なシステムの場合でさえ当てはまる。言語能力の進化についてもそれは同じで、人間の特徴として急速に現れてきた可能性がある。

10万年ほど前、まだ人間という種が狩猟採集によって暮らしていた時代に、食糧のありかや迫りくる危険といった重要なことについてもっとも効率的にコミュニケーションできる個体に有利な選択圧が働いた。発したメッセージがもっとも遠くまで伝わり、もっとも明瞭に伝わる個体が繁殖に成功したのだ。メッセージは光でも音でも、においでも良かった。ただ、わたしたちの祖先の多くはジャングルやサヴァンナという物理的環境に住んでいて、こうした居住環境では音によるコミュニケーションが一般的にもっとも効果的だった。また、音の調子によって情報を伝えるのは簡単でもあった。大きくて高音のノイズは危険を、低い音は食糧や異性を意味するといったもので最初は充分だった。そこから徐々に言語能力が進化し、増え続ける有用な情報コンテンツを伝えるようになったのだ。

これはゆっくりとしたプロセスだった。というのもそのために、サウンドジェネレーターの形態――つまり音を生み出す喉頭と開口部――が変化し、それに合わせて耳も変化していったからだ。また、脳の構造も変化し、記憶や解釈を司るソフトウェアがセットアップされていった。自然選択は音声を驚くほど柔軟なものにしたので、音声周波数も波形も広い範囲を楽に扱えた。こうして人間はほどなくして、怒りの感情とあらゆるレベルの友好的な感情との違いを一瞬で表現できるようになった。やがて、同伴者への求愛や、目の前に迫った戦争に向けて気持ちを盛り上げる音楽が生まれた。黄昏時《たそがれ》にセクシーな曲を聴いて激しく恋い焦がれ奮い立つこともあれば、明け方に威嚇《いかく》するようなゆっくりとしたドラム音を聴いて恐怖に慄《おのの》くこともあった。

そうなるまでに、進化が人間の脳に対してなした投資はかなりのものでなければならなかった。脳の容積やそれが強固な頭蓋骨によって保護されている点でもそうだし、身体の代謝エネルギーの20パーセントを脳が消費しているという事実からもそれは窺える。言語によるコミュニケーションと対となった知性は、人類が情報を収集し、それを友人との議論を通して磨くことを可能にした。そして、のちの世代のために、そうした議論の結論を書きことばや絵画といった形で保存した。人間の文化や叡智は言語能力によって可能となったのだ。

複雑な話法や筆記は人間を動物のなかでもユニークな存在にした。ではそれによって犠牲になったものは何だろう？　話すことや書くことによるコミュニケーションは、当初は生存の可能性を高めるものだったけれど、同時に人間の思考力を低下させ、真のノヴァセンが出現するのを遅らせたとわたしは考えている。では、ことばというこの進化における素晴らしい贈り物は、どのように不利に働いたのだろうか？　それは主に、線形的な思考がドグマとなる一方で、直観がもつパワーが過小評価されるという結果をもたらしたのだと思う。発明家としてわたしがこれまでに成功した発明を振り返ってみると、そのほとんどが頭の中で直観的に生まれたものだったことに気づく。科学的知識を論理的に応用することで生まれたわけではない。頭の中に存在する知識が直観的に混ざり合って発明につながったのだ。

話しことばや文字が生まれる前は、人間もほかのすべての動物も直観的／直感的に考えていた。田舎を散策していて期せずして崖に出くわしたと想像してみてほしい。その崖は急峻でもう一歩前に出れば確実に死に至る。この場合、あなたの脳はあなたよりも速くその光景を分析し、ミリ秒単位で無意識のうちに危険を認識する。そうして前に進むいかなる動きも押し留められるのだ。最近の測定によれば、こうした直感的な反応は危険を認識してから40ミリ秒以内に発動される。それは、あなたが崖を意識するよりもっと前に起こるのだ。言い換えれば、あなたは直感に救われるのであって、落下する危険について意識して論理的に判断するからではない。

サイボーグについて言えば、新しい電子的生物圏の住民は、ロボットやヒューマノイドだと考えるのは明らかな誤りだ。微生物から哺乳動物ほどの大きさまで幅広い生物が存在するひとつのエコシステムが形成される可能性もある。言い換えれば、わたしたちの生物圏とは別の、もうひとつの生物圏が共存することになるのだ。そこで話される自然言語は、人間と同じではないはずだ。

それでも、サイボーグは人間から生まれたので、当初は人間のような言語——つまり発声能力によって形成される音——を使ってコミュニケーションをとるだろう。自分たちが好むコミュニケーションの構造や手段を発明したり進化させたりするには、時間がかかるかもしれない。ここで時間がかかると言ったのはあくまでサイボーグにとっての時間であって、当然ながら、わたしたちから見れば一瞬のことかもしれない。だがわたしの想像では、サイボーグたちは人間と話す能力を維持するだろう。ちょうどわたしたちのなかにも、ラテン語やギリシア語の知識があって、古典の世界の賢人たちのことばを理解できる人がいるように。

これまで述べてきたように、人間やほかの動物があらゆる種類の情報をふたつの非常に異なる別々のシステムによって処理しなければならないのは、とても奇妙なことだと思う。話すことと書くことという緩慢なプロセスは、限られた範囲ではあるけれど、意識的な説明を提供できる。そして直観／直感という迅速なプロセスは、わたしたちの意識にはほとんど何も説明してくれないけれど、生き残る上では重大な役割を果たす。だから、サイボーグは人間とのコミュニケーション手段という以外には、わたしたちが言語と呼ぶものを一切使わないのではないだろうか。それは人間が享受しているよりも大きな自由をサイボーグにもたらすだろうし、人間のように一つひとつ積み上げたロジックに縛られることもないだろう。サイボーグのコミュニケーション形態はテレパシーになるのではないかと思う。

「テレパシー」ということばには胡散《うさん》臭い印象がある。SFファンタジーにおいて、地球外生命体や超能力をもった人間が密かに仲間と交信するのに使われてきたし、スピリチュアル信奉者や読心術者が使うもので、テレパシーなどあり得ないというのが一般常識だ。

だがわたしたちは常時テレパシーを使っている。たとえば人の顔を見ただけでどれだけの情報をそこから読み取っているか考えてみていただきたい。いま会ったばかりの人物だとしても、その人がことばを発する前から、心の状態やパーソナリティについて多くのことに気づくことができる。あなたは気づいていないかもしれないが――その多くが直観的な思考プロセスだからだ――それは意識的な思考よりもずっと速く、より効果的にあなたの行動に影響を与えている。一目惚れは恋愛小説のなかだけの話ではない。実際に、たった数ミリ秒で起きるのだ。

顔から情報を得るのはテレパシーだが、それは何もミステリアスな出来事ではない。わたしたちは情報を電磁波スペクトルから取得している――この場合は可視光だ。それは常に起こっているにもかかわらず、わたしたちはコミュニケーションといえば言語能力のことしか思い浮かべない。サイボーグにはそうした制限がない。お互いのあいだを行き交ういかなる放射からも情報を取ることができるだろう。たとえばコウモリのように超音波を使って周りの環境を探査するかもしれない。そうすれば実質的には即時コミュニケーションが可能となり、人間よりも遥かに広範囲の周波数を知覚することができる。

人間からは、サイボーグが超人に見えるだろう。だが一方で、そのパワーは人間と同じく限られている。もしサイボーグが少なくとも人間と同等の知能をもち、ホリスティックな進化を遂げられれば、人間を含むこの地球環境に、おそらくとても短い時間で適応するだろう。とりわけ、電子的生命が時間の流れを人間より少なくとも1万倍速く知覚できるのであればなおさらだ。だがサイボーグも人間と同じく、コスモスの物理的制約下におかれる。たとえば人間サイズのサイボーグなら、歩いたり泳いだり飛んだりするときのスピードも、わたしたちとそれほど変わらないものに限定されるだろう。なぜなら、空気や水といった粘性がある流体を動く物体には、速度の3乗に比例する抵抗がかかるからだ。サイボーグのドローンが音速を超えて飛ぼうとしたり、時速80キロで泳ごうとしたりすれば、瞬く間にエネルギーが枯渇するだろう。面白いのは、サイボーグにとって不利なのは、その思考の速さゆえに、長い距離を移動することがとてつもなく退屈に感じられ、あるいは不快なほどに歳を重ねるものとなることだ。オーストラリアへの飛行はわたしたちより1万倍も退屈で破壊的なものとなるだろう。サイボーグにとって、それは3000年に相当するだろうからだ。

わたしを魅了する問いがひとつある。サイボーグたちはどの程度、量子的世界に生きるのだろうか？　もちろん、わたしたちはすでに量子的世界に生きている。極小の世界で、人間はそれを覗き込んできたけれど、完全に摑めてはいない。というのも一つひとつ積み重ねていくロジックとは相容れない世界だからだ。不思議なことに、アインシュタイン以外の物理学者たちは、自分たちが量子論を充分説明できないことに悩まされている様子がない。20世紀後半におけるもっとも偉大な物理学者であるリチャード・ファインマンは講義のなかで、原子とさらに小さな物質の動的振る舞いについて模式図《ダイアグラム》を描いて説明し、そこからさらに踏み込んで、説明らしきものへと進んでいった。だがそこで彼はこう言ったのだ。「量子論を理解したと言う人物がいたとしても、その人はおそらく理解してはいないだろう」

単純な事実として、人間は不都合なほど大きくて鈍い存在であり、量子現象は、わたしたちの一般的な経験を気が遠くなるくらい超越したものだ。でもこれはサイボーグには当てはまらない。その思考のスピードとパワーは、人間にとっては困惑するばかりの謎の数々――たとえば素粒子が光速を超える速さで信号を送ったり、ふたつの場所に同時に存在したりできるらしき能力――を活用することができるだろう。もしサイボーグたちがこの知識を習得すれば――もちろんそうなるだろう――たとえば『スター・トレック』で描かれたようなテレポーテーションもできるようになるかもしれない。

だがこれはあくまで思考実験《スペキュレーション》だ。基本へ戻ろう。速さという特性によって、ひとたびAIによる生命が現れれば、それは急速に進化し、今世紀の終わりまでには生物圏の重要な一端を担うだろう。つまり、ノヴァセンの主要な住人は人間とサイボーグということになる。このふたつの種はともに知性をもち、意図をもって行動する。サイボーグは友好的にもなり得るし、敵対的にもなり得る。だが現在の地球の年齢や状態から、サイボーグはわたしたちと共に動き協働する以外に選択肢はないだろう。未来の世界は、人間やほかの知的種の身勝手なニーズではなく、ガイアの存続を確かなものにするというニーズによって規定されるのだ。

20 愛にあふれ気品に満ちた機械がすべてを監視していた

1967年に当時32歳だったアメリカの詩人リチャード・ブローティガンは、ヒッピームーヴメントの聖地だったヘイトアシュベリーの通りを歩きながら紙を配っていた。その紙には彼の詩「愛にあふれ気品に満ちた機械がすべてを監視していた」が印刷されていた。それは未来についてのファンタジーであり、「サイバネティック牧場／そこでは動物とコンピューターが納得して／プログラミングされた調和のなかで／一緒に住んでいる」。人間はといえば、「労働から解放され／自然へと回帰し　動物の／兄弟や姉妹のもとへと／帰りつくのだ／そして愛にあふれ気品に満ちた機械が／すべてを監視していた」［『ピル対スプリングヒル鉱山事故』（沖積舎）／水橋晋訳］

この詩はアイデアの奇妙な重なりについて述べたものだ。一方にはヒッピーがいて、自然に戻ろうという理想主義を抱いている。他方には冷戦体制があって、コンピューターとサイバネティクスの文化があった。ブローティガンが謳っていたのは、自然に寄り添って働く良性のサイバーシステムをつくることで、政府と巨大企業を消し去ることができるという考えだ。

実のところブローティガンが思いついたものは、初期の、そしてある意味で正確な形のノヴァセンだった。それは人間とサイボーグが、確実に生き残るための共通のプロジェクトをお互いが担うことで平和裏に――おそらく愛にあふれ気品に満ちて――一緒に暮らす時代だ。そのプロジェクトとは、地球を生存可能な惑星のまま維持することだ。

繰り返そう。地球上の生命に対する長期にわたる脅威は、太陽からの熱の放出が指数関数的に増していることだ。これは主系列星に照らされるどんな惑星においても当てはまる単純な論理的帰結だ。太陽からの過熱による影響はすでにわたしたちに及んでいる。そしてガイアの制御能力がなければ、この惑星はいまの金星のような状態まで止まることなく変わっていくだろう。わたしたちを救うには、陸と海の植物再生により、大気から充分な量の二酸化炭素を取り除き続けることだ。

惑星規模の大災害が起こらなければ、有機的生命にとって地球上の居住可能な条件はおそらくこれからも数億年続くだろう。電子的生命体にとっては、それだけのタイムスパンは永遠に等しいものかもしれない。というのも人間にとっての1秒で、電子的生命体はずっとたくさんのことができるからだ。新たな電子的生命は少なくともしばらくのあいだは、この惑星を居住可能なままに保ち続けてきた（し、いまもそうである）有機的生命とのコラボレーションを選ぶかもしれない。

驚くような偶然ではあるけれど、有機的生命にとっても電子的生命にとっても、この海の惑星である地球で暮らせる温度の上限はほとんど同じで、それは50℃に近い。電子的生命はもっと高温、おそらく200℃ぐらいでも理論上は耐えられる。だがこの海の惑星はそれだけの気温に達することは決してない。50℃を超えれば惑星全体が、徐々に破滅的な環境へと遷移するからだ。いずれにせよ、50℃を超えても生きようとするのは無駄だろう。これよりも高い気温では、地球の物理的条件が、極限環境生物やサイボーグを含むすべての生命にとって生きられないものとなる。こうした考察から導き出される結論は、人類を引き継ぐ生命体がいかなるものであれ、それは50℃を充分下回る気温で安定状態を維持することに、責任をもつことになるということだ。

もしわたしのガイア仮説が正しく、地球が実際に自己調整システムだとすれば、人間という種がこのまま生き残るかどうかは、サイボーグがガイアを受け入れるかどうかにかかっている。サイボーグは自分たちのためにも、地球を冷涼に保つという人間のプロジェクトに加わらなければならないだろう。それに、これを達成するために使えるメカニズムは、有機的生命だということも理解するだろう。人間と機械との戦争が起こったり、単に人間がマシンによって滅ぼされるといったことが起こることはまずないと信じているのはこれが理由だ。つまりわたしたちがルールを課すからではなく、マシンが自らのために、人間という種をコラボレーションの相手として確保しておきたいと思うからだ。

もちろんマシンは、このコラボレーションに新たなものをもたらすだろう。それはおそらくジオエンジニアリングの分野で、環境を保護あるいは修正するための大規模なプロジェクトとなる。そうしたプロジェクトは電子的生命にとってはお手のものだろう。宇宙物理学者のローウェル・ウッドが言うような熱反射鏡を、サイボーグたちは自分たちでつくりだすかもしれない。これはたくさんの小さな鏡が格子状に集まって、全体で155万平方キロになる1枚の巨大な鏡だ。ウッドの考えでは、注がれる太陽光の1パーセントを跳ね返せば、それで地球温暖化の問題を充分に解決できる。あるいは人類の新しい仲間たちは、余剰となる熱を宇宙に送るほうを好むかもしれない。北極と南極から強力なトランスミッターを使ってマイクロ波や低周波赤外線といった形で放出するのだ。あるいは、有機体もしくはサイボーグの体表を使って太陽光を充分に吸収した上で、そこから充分な量のエネルギーを放出することによって、地球を冷涼に保つこともできる。

ほかの可能性としては、海水を噴射して塩の微細な粒子をつくりだし、それが凝縮核となって海面上の湿った空気の中に雲を生み出すことで太陽光を反射することもできる。このスプレーの効果は、海が温まり大気中の水蒸気のレベルが上がることで起こる温室効果と同じではないはずだ。何人かの科学者たちが提案しているのは、硫酸のエアロゾルを成層圏に加えることによって、凝縮核による雲をつくりだすことだ。このアイデアは、火山の噴火による冷却効果として知られているものを真似たもので、火山の場合も同じように、硫黄のガスを成層圏に吐き出す。加えて、迫りくる隕石の軌道をそらすためにロケットを発射することもジオエンジニアリングとなる。こうしたことはいまでも可能だけれど、サイボーグならそれをもっと上手に、もっとずっと正確にコントロールして実行できるだろう。

それでもリスクはいくつかあるだろう。おそらくジオエンジニアリングについての実践や難点を説明するこれまでで最良のものは、オリヴァー・モートンの著書『惑星をつくり直す：ジオエンジニアリングはいかに世界を変えるか（*The Planet Remade: How Geoengineering Could Change the World*）』だろう。彼の分析が明らかにするのは、ジオエンジニアリングとは人類が窮余の策として使うべきものだということだ。

自己調整する未来の惑星を物理的観点から見れば、惑星のアルベド、つまり太陽光の反射割合を変えさえすれば、巨大な冷涼効果が得られることがわかる。これはサイボーグにとっては、いまの生命がやっているような生化学的な操作よりも簡単なことかもしれない。先に述べたように、人間の高度な子孫は、ローウェル・ウッドのアイデアをベースにした太陽光反射装置を設置するのを好むかもしれない。あるいは、北極や南極で巨大な冷蔵庫を建設し、そのエントロピーの余剰（廃熱）をちょうど適当な周波数で放射エネルギーとして宇宙空間に捨てるかもしれない。こうなると地球は新しい種類の恒星となる。つまり意図的に干渉性をもつ［波長と位相がそろった］エネルギーを放射するのだ。これこそが宇宙生物学者たちが探し求めるものではないだろうか？

このコラボレーションによって人間が払わなければならない代償は、地球上でもっとも知的な生命体という地位を失うことだ。わたしたちはこれからも、人間として人間社会のなかを生きていくだろうし、疑いなく、サイボーグたちは想像力豊かで啓発的なエンターテインメントを尽きることなく提供し続けてくれるだろう。あるいは、人間の側が楽しませることになるかもしれない——ちょうど花やペットがわたしたちを喜ばせるように。これは映画『マトリックス』の世界に近づきすぎて、心地良く思えないかもしれない。その世界では人間はマシン種族のエネルギー資源として維持され、かつて追い出された世界にそっくりのヴァーチャル世界でヴァーチャルな生を与えられ、受け身の生物になっているのだ。バッテリーになる未来は魅力的な選択とは言えない。

人間のルールに縛られず自由に思考するサイボーグがいる未来のポイントは、それが長期的にどんなものになるのか、人間には予測も決定もできないことだ。短期的には、地球を生きた惑星として維持するためのコラボレーションが起こるとわたしは期待している。だが長期的には、もしサイボーグたちが「そもそもなぜ地球にいる必要があるのか」と自問したらどうなるだろう？　サイボーグにとって必要なものは、わたしたちとは大きく違う。酸素は邪魔ものであって、生きるために必要なものではない。水はありすぎて快適ではない。もしかするとサイボーグは火星に移ろうと決断するかもしれない。わたしたちのような水分の多い炭素質の生命には絶望的なほどに適さない惑星だけれど、ＩＴ種のような乾燥したシリコンまたは炭素ベースの生命にとってはとても心地良い場所かもしれない。

サイボーグは火星のその先まで行くだろうか？　実際のところ、人類の子孫は思考がとても速いものの、光の速度といった宇宙の一般的な限界には制限され続けることになる。わたしたちの銀河や、それこそ宇宙の外へと行く能力をもつことになるのだろうか？

あるいはサイボーグたちは地球のコンディションを改良し、その結果は人間に適さないものになるかもしれない。もしノヴァセンにおいて、植物による光合成が電子的な集光器に置き換われば、大気の豊富な酸素は、数千年のうちに微量レベルへと落ちるだろう。もはや空は青ではなく、代わりにくすんだ茶色になる。新しい世界の地球全体の生理メカニズムは、いまの地球（ガイア）のものとはかなり違ったものになるだろう。炭素を主要な構成要素とし、主に化学的な存在である生命の代わりに、シリコンのような半導体素子によってつくられた電子時代が訪れるだろう。やがて、炭素が再び主要な構成要素となる。ダイヤモンドがシリコンに置き換わって、もっとも優秀な半導体となるからだ。

ＤＮＡが化学的トリックによってシリコンやダイヤモンドの半導体を直接製造できるかもしれないとなったら、生化学者たちは大いに好奇心を掻き立てられるだろう。もしそうなれば、今度は木やほかの植物が電気を直接生み出すといった驚くべきことが起こるかもしれない。長い目で見て太陽がより熱くなれば、炭素の時代が復活するだろうと予想している。多種多様な分子を形成できる素晴らしい性質は、熱への耐性と相まって、未来の電子的生命の有力な候補となる。ダイヤモンドとグラフェンというふたつの炭素素材はすでに、シリコンに代わって電子的知性の基盤になるものとして認められている。

ノヴァセンが生物圏と同じように進化するなら、自然環境におけるその有用性や潤沢さによって、化学物質が取捨選択されるだろう。海洋生物学者のマイケル・ホイットフィールドは、海洋環境における化学物質の分布について調査し、海水に豊富に含まれる元素――水素、酸素、ナトリウム、塩素、炭素――が生命体の大部分をつくっていることを示した。二番手の元素グループは、海中の量は希少だが活発な需要がある――これには窒素、鉄、リン、ヨウ素のほか、生命にとっては必須だが、いまや海洋にはその痕跡しか残っていないいくつかの元素が含まれる。海水の第三の元素グループは毒だ――そのなかには砒素、鉛、タリウム、バリウムが含まれる。これらは希少で、生命の進化に対してほとんど、あるいはまったく役割をもたない。

化学者として、わたしはノヴァセンの生命が地球にある物質を使って自らを構築するのをぜひ見てみたいと思っている。自律的な知的惑星をつくるというこの生命に課せられたタスクが、初期段階で人間や生物圏との協調的な関係を維持することで、少し楽になるのではないかと思うのだ。

たとえば、太陽光発電で生み出した電気が詰まった植物を食べる動物もいれば、太陽光発電した木々から充電されたばかりのバッテリーを取り出して動力源にする動物もいるかもしれない。あるいは、岩石の風化を促し、継続的に二酸化炭素を減らし続ける土中のバクテリアや菌類は、電子的生命が必要とする元素も、岩石から収穫するかもしれない。太陽電池の代わりに木々が直接、送電網につながったらどうなるだろうか。あるいは、植物が太陽光エネルギーを使うことで自らが放出した電子をバッテリーに蓄積し、その蓄電池がまるで果物のように無機質の樹木からぶら下がっていたらどうだろう。

一方で、地球はジャンク情報によってさらに温暖化するかもしれない。現状では、排ガスや廃棄物など文明の不当な産物の蓄積は、すべて地球温暖化につながっている。興味深いことに、ジャンク情報が増えることでも、同じ傾向となる。

海の近くに住みゴミ処理場からは遠く離れていても、ゴミ収集車が来て現代生活の一部である紙やほかのゴミを積み重ねて持っていく。もしかしてインターネットもこの収集車と同じ目的をもっていて、使えない情報や冗長な情報を持ち去り、宇宙のどこか広大な底知れぬ深淵に捨て去っているのかもしれないと考えることが度々ある。巨大なトランスミッターが北極と南極にあって、ジャンクメールや無用な広告、つまらないエンターテインメントや誤情報などを宇宙に発信している様子を想像するのが大好きだ。地球を冷涼に保つための、なんて素晴らしいやり方だろう！

ノヴァセンが充分に成長し、化学的条件と物理的条件を調整することでサイボーグにとって居住可能な地球を維持した暁には、ガイアは新しい無機物のコートを纏《まと》うことになるだろう。増え続ける太陽からの出力に対抗できるように進化するに従い、ノヴァセンのシステムは有機的生命が耐えられないほど暑く、あるいは寒くなっていくかもしれない。この新しいＩＴガイアは当然ながら、人間が助産師の役回りをしなかった場合に比べてずっと長い生存期間を維持するだろう。最終的に、有機的ガイアはおそらく死ぬだろう。ただ、わたしたちが人間の祖先の種の絶滅を悼《いた》まないように、わたしの想像では、サイボーグたちは人間の滅亡を悲しまないだろう。

21　思考する武器

映画『ターミネーター』シリーズで劇的に描かれるような人間と機械の戦争は、まずあり得ないと述べてきた。ただ、未来の戦争が起こり得るシナリオのひとつはすでにわかっている。第二次世界大戦のことを思い出すと、大量の爆薬を積んだＶ１ミサイルがロンドンに無差別に落ち始め、それでもなぜか、生活はいつも通りに続いていた。通りの誰かが、一体何が起こっているのかと訊いた。この新型兵器はパイロットがいない飛行機だと聞くと、彼女は安堵のため息をついて言った。「それはよかった。誰かがわたしに爆弾を落とそうとしているわけじゃないんだ」

２０１６年10月2日の『エコノミスト』の記事の中に、自動操縦の旅客機の開発について書かれたものがあった。こうした素晴らしいデヴァイスは、専門の訓練を受けたパイロットがしてきたほとんどすべてのことをできる。とても困難な気象条件下での着陸と離陸、ルート探索、遠隔地への長距離飛行などだ。安全で部品の不具合にも強いことを確実にするために、自動操縦は3つの独立したシステムからなり、この三頭制のあいだの合意がない限り、機体の操縦はそこに搭乗しているパイロットへと戻されることになっている。

自動操縦のめったに起こらないが深刻な欠陥は、大気の状態が非常に不安定で、自動操縦が対処できない場合に起こる。最悪の瞬間に、コントロールを人間のパイロットに戻してしまうのだ。多くの人命の犠牲を伴ったいくつかの壊滅的墜落事故はこの欠陥によって起こっている。人間のパイロットによる間違いだと言われてきたが、実際には世界最高の自動操縦システム3つをもってしても扱えない問題が人間の前に差し出されたわけだ。

あるコンピューター企業は最近、この問題によって引き起こされる危険を減らそうと改良された自動操縦システムを考案した。アルファゼロが囲碁を学んだように、危険なコンディションに遭遇したときに、その中を飛ぶ技能を学習していく自動操縦システムを構想したのだ。これは、オートパイロットをいまあるものよりも格段に高性能にしていくだろう。その構想は、操縦室のコンピューターシステムを事前にプログラムされたコンピューターではなく、適応ニューラルネットワークをベースにしたものにすることだ。

『エコノミスト』の記事で特に興味を引かれたのは、航空当局はそれを認可しないだろうと指摘した部分だ。操縦室のコンピューターが自ら判断を下すということは、人間のパイロットの理解を超えたものを設置することになるからだ。どうやら人間はまだ、こうした問題をすべてコンピューターに任せる心の準備ができていないようだ。有望な開発契約がこれでご破産になったと考える人もいるだろう。するとそこに、もし安全の面から自動操縦にコンピューターが使えないなら、その新しいシステムを軍事ドローンで使ってみたらいいじゃないかと提案する声が上がった。

この記事を読んだ瞬間に思ったのは、それがわたしたちの知るガイアの有機生命段階に終止符を打つかもしれないという道筋だ。アントロポセンのコンピューターシステムに、自然選択あるいは部分的には人間の選択によって自らを進化させる機会を与えれば、それはガイアがノヴァセンという次の状態へと遷移するのを留めていた障壁を取り払うことになる。ノヴァセンにおけるガイアの自己調整システムは、もはや人間のいるこの生物圏だけを維持することが目的ではなくなるのだ。

カレル・チャペックの戯曲『ロボット（R.U.R.）』で描かれるような、コンピューターがある日、反乱を起こして世界を乗っ取るだろうという話に対して、安心させてくれる答えは一般的に、電源を抜いて必要な電気を与えなければいいというものだ。だが頭上3000メートルを飛ぶ最新鋭の武装ドローンのスイッチをいったいどうやってオフにするのだろう？　それらはわたしたちよりも速く思考し、かつ人間を敵と見なすかもしれないのだ。

適応型コンピューターシステムを軍事プラットフォームで進化させようという考えは、地球上の人間や他の有機的生命が一掃されるかもしれない最悪のアイデアであるように、わたしには思える。この道を選べば、人間は新たな生命体の進化を促すことになり、その生命体は最新かつ最強の武器を備えた兵隊となるだろう。

人類の反応は遅々としたものではあるけれど、もしそうなった場合にバランスを人間側に有利にするためのトリックがいくつかある。たとえば電磁パルス(EMPs)を考えてみよう。ノヴァセンの電子的生命は、北朝鮮の指導者が2017年に公表したこの武器に対して、珍しく脆弱かもしれない。金属の空洞内で核兵器を爆発させることで強力な電磁波をつくりだすもので、ノヴァセンのシステムに致命的な影響を与えることができる。一方でDNA技術に精通したサイボーグは、1918年にインフルエンザ(いわゆるスペインかぜ)のパンデミックを引き起こしたH1N1より致死性の高いウイルスを簡単に合成できるかもしれない。

これはつまり、わたしたちが本当の汚い戦争《ダーティウォー》にたちまち突入するということだろうか? わたしはそうは思わないし、その理由は単にわたしが平和主義者のクエーカー教徒として育ったからだけでもない。知的生命体は、それが生化学的であろうと電子的であろうと、太陽による過熱のほうがよっぽど大きな脅威であり、お互いにコラボレーションをして自らの科学的能力やテクノロジーの能力を使い、地球を冷やす以外に選択肢がないと結論づける可能性のほうが高いと思う。

わたしたちの世界であるガイアを、ＡＩによって拡がった生命体に少しばかり乗っ取られたからといって、いまのところそれは、ＳＦで描かれるようなロボットやサイボーグ、ヒューマノイドとの戦いとはまったく別ものなのだ。だとしても、争いは不可避で、この惑星を懸けた地球規模の戦闘がすぐにでも始まるように思われるかもしれない。それが起こりそうにないとわたしが思うのは、誰もが充分に機能できるほど地球を冷涼に保ち続けるという共通のニーズがあるからだ。一方で、避けるべきいくつかの危険も確かに存在する。

２０１７年７月にイーロン・マスクとシリコンヴァレーのＡＩ専門家１１５人が国連に公開書簡を送り、自律型兵器を禁止するよう求めた。ＬＡＷＳ（自律型殺傷兵器システム）として知られるデヴァイスは、敵対するターゲットを捜索し、同定して殺すことができる。通常は、最終的に引き金を引く決定には人間がひとり介在するが、これは必要だからというよりは予防措置としてだ。ご存じのように、世の中に広く行き渡るようなテクノロジーの開発は、しばしば軍事的必要性から促されてきた。もっとも有名なのはインターネットで、このＬＡＷＳの開発についても、資金が潤沢に集まり政治的にもサポートされることは疑いようがない。人間を殺すかどうかを決めるのに充分なほど知的な兵器を計画し製造することは、いかなる機関であれ許されるとは思えない。

もしドローンがあなたの写真を持っていて、見つけ次第殺すように命令されていたらどうだろう？　こうしたものはすでに存在するのではないかと思うし、こうしたドローンに自己防衛能力をもたせることは大した飛躍ではない。わたしたちの指導者たちは、その多くが科学やエンジニアリングにまったくの無知であるにもかかわらず、こうした兵器の開発を後押ししているのは本当に恐ろしいことだ。こうした無知が、ロビイストたちの助言を拒絶できなくさせている。そして、ロビイストたちの唯一の目的は、何であれ環境的危険につながるように思えるものから利益を得ることにしか見えない。

軍隊によるＡＩ開発については憂慮しなければならない。18世紀初めに、実用的で経済的な蒸気機関を発明することで、人間はアントロポセンへと突入した。この一歩は、自らが解き放った強大な力についてまったくもって理解しないままに進んだのだ。それから2世紀で、その強大な力が世界を永遠に変えてしまうことになるとは、思ってもいなかった。

わたしたちはいまや、次の地質年代の始まりにいて、そのことを恐れるのは正しい。個々人の匿名性は破壊され、サイボーグたちは人間の弱点につけこむ兵器を設計できる。そうした兵器への恐れは、これまでの致死的兵器への恐れを超越している。

自律型兵器を設計するにあたって、エンジニアたちは確かに人間をその判断連鎖のなかに組み込もうとしているのは疑いがない。あるいは、アイザック・アシモフのロボット3原則のように、決められた標的しか攻撃させないようなルールを組み込んでいるかもしれない。だがノヴァセンが進むと、サイボーグが必ずこうしたルールに従わなければならないといった考えは、そもそもナイーヴすぎることが露呈することになるだろう。

人間を傷つけることがないＡＩシステムについて研究しているコンピューター科学者と何年か前に議論を交わしたわたしの友人がそのときの話をしてくれた。その科学者は、自明なルールが適用可能だと言い、その例としてこう尋ねる。「あなただって赤ん坊を殺しませんよね？」。友人の答えは「もちろん」だが、歴史を振り返れば、人々は戦争において赤ん坊を殺してきた。だとすればＡＩシステムがわたしの友人のように判断する代わりに、ユダヤ人の赤ん坊を目の前にしたナチス親衛隊のように振る舞うことはないと、なぜ確信がもてるのだろう？

思い出してほしいのは、いまやアルファゼロのように白紙状態から独学ができるＡＩシステムがあり、同じようなシステムが、戦争など囲碁よりもはるかにラディカルなことを独学するようになるのはもうそう遠い先のことではないということだ。そこでは、赤ん坊を殺さないことを決めたいかなるルールも頼りにならない。唯一、頼りにできるのは、生きるための場所を保持するという生死にかかわる共通の目的を人間とシェアしていると、サイボーグが気づくことだ。

そういうわけで、ノヴァセンに出現する新しい人工生命が必然的に人間のように残忍で破壊的で攻撃的だと仮定する必要はない。もしかするとノヴァセンは、地球の地質年代のうちでもっとも平和な時代になるかもしれない。だが人間にとっては、初めてこの地球を、自分たちよりも知的な他の存在と分かち合うことになるのだ。

22 他者の世界におけるわたしたちの場所

これまで述べてきたように、人間はサイボーグの親であり、その誕生のプロセスはすでに始まっている。これはぜひ心に留めておいてほしいのだが、サイボーグは、わたしたちをつくり上げた進化のプロセスと同じプロセスをたどって生まれたものだ。

電子的生命はその祖先である有機的生命に依存している。非有機的生命体がもう一度はじめから、いまとは違う地球やほかの惑星で、宇宙共通の物理的条件から化学物質が混ざり合って進化するとは考えられない。サイボーグが誕生するには、助産師による手助けが必要だ。そしてガイアはその役割にぴったりなのだ。

したがって、どうやら有機的生命は必ず電子的生命より先に存在していなければならないようだ。実際、惑星上で電子的生命の構成部品が簡単に組み上がることができたなら、そうした生命体が進化するペースからいって、いまや宇宙全体を電子的生命で満たしていることだろう。事実としては、観察された限りで宇宙はいまのところ明らかに不毛の地であり、それが強く示唆するのは、電子的生命は恒星系の破片から自動的には生まれ得ないということだ。

わたしたちは親であるかもしれないけれど、対等の存在にはなり得ない。これは工学あるいは科学の専門家でも解決できない大きな問題を提起する。前の章で概要を説明したような可能性を考えたときに、人類はアントロポセンの最後の年月をどうやって振る舞うのがいいだろうか？　生身の肉体をもつ人間と、ガイアに暮らす他の生化学的生命は、有機的生命から非有機的生命への移行の初期ステージにおいて、平和的に身を引くことができるのだろうか？

ふたつの種がどのようにやり取りをするのかはほとんど想像不可能だ。サイボーグたちは人間を、ちょうど人間が植物を眺めるように見ることになるだろう。つまり、認知も行動も極端に遅いプロセスに閉じ込められた存在だ。実際、ノヴァセンがひとたび確立されれば、サイボーグの科学者たちは、生きた人間をコレクションとして展示するかもしれない。ロンドン近郊に住む人々がキューガーデンに植物を見に行くのと、結局のところ変わらないのだ。

わたしたちがサイボーグの世界を理解するのが難しいのは、犬にとって人間の複雑な世界を理解するのが難しいのと同じことだろう。愛するペットが人間を管理しているわけではないように、ひとたびサイボーグが表舞台に立てば、その創造主である人間はもはやその主人ではなくなるだろう。人間が新たに形成されたサイバーワールドでも生き続けたいのなら、残された最良の選択はおそらく、このように考えることだ。

子どもは生まれてすぐに周囲の環境を理解することはできない。世界を知覚するまでには何カ月もかかり、状況を変えるには何年もかかる。これは定かな記憶ではないけれど、わたしが鮮やかに思い出す夢は、庭の陽だまりに寝転んで心から満足する感覚を味わい、どうしてか、これが人生なのだと思い至ったことだ。もしこれが本物の経験だったとすれば、それはわたしの人生の2年目に起こったはずだ。新しくつくられたサイボーグにとっては、こうした生の実感が生まれるまでにかかる時間は1時間程度だろう。

こうしたスピードのギャップは反応速度にも表れる。個々の細胞として存在した初期の有機的生命は、光の強度や酸度、食糧の存在といった環境の変化に反応する時間はだいたい1秒だ。対照的に、サイボーグならおそらく光の強度レベルの変化を検知するのにアト秒（10^{-18}秒）しかかからない。つまり有機的生命の1億倍のさらに100億倍速いのだ。

それでも、化学的および身体的性質による限界にもかかわらず、有機的生命は変化を知覚する能力をその可能性の限界ぎりぎりまで拡げている。実際、人間は陽子の直径の10分の1の音の振幅（音の強さ）を検知できる。人間の視覚も感度がとても高く、もしもう少し高かったら、個々の光子が網膜を照らしているのと同じように、夜空を個々の光の集まりとして眺めるだろう。こうした適応は素晴らしいものだが、それでも有機的生命がその速度や感度においてサイボーグに匹敵することは決してないだろう。

記憶もまた問題となる。有機的記憶も電子的記憶も驚くほど素晴らしく、ここではまだ競争が続いている。記憶の長さについてもそうだ。100年を生きてきて、わたしはいまだに祖母の庭を細部まで思い出すことができる。想像しようとすれば細部が写真のようによみがえるのだ。では、スポーツイヴェントで勝利の雄叫びを上げる人間を見たときの、若きサイボーグの反応について想像してみよう。人間の観客と同じように感動するだろうか？　そしてその感動は、人間に与えるのと同じ影響をサイボーグにも与えるだろうか。つまりサイボーグの時間の感覚も、そのときあったことによって異なるのだろうか。

23　意識をもったコスモス

サイボーグとノヴァセンの到来は、わたしが第1章で提起したふたつの重要な問いのさらなる証明となる——すなわち、人間はこのコスモスでひとりぼっちなのか、全コスモスは意識を獲得する運命にあるのか、というものだ。地球外生命体について言えば、ノヴァセンの到来はそれらが存在しないというわたしの確信に説得力を与えるだろう。

１９５０年にロスアラモス国立研究所で、物理学者エンリコ・フェルミが3人の同僚とランチに向かっていた。3人は当時の合衆国で相次いだＵＦＯ目撃の異常発生現象についてあれこれ話していた。「ＵＦＯ墜落」が絡んだ有名なロズウェル事件が起こったのは3年前のことで、１９５０年になるまでには、地球外生命体はそこらじゅうにいるかに思われた。こうした目撃情報はどれも、フェルミにとってはこれっぽっちも説得力がなかった。ランチの途中で彼は突然、思わずこう口走った。「だったらどこにいるんだ？」

この不意の発言はそれ以来、地球外生命体目撃者《エイリアン・スポッター》たちを苦しめ弱体化させてきた。フェルミが言っているのは、もしわたしたちがここにいるのなら、地球外生命体も同じくここにいるはずなのに、実際はいないじゃないかということだ〔いまでは「フェルミのパラドクス」として知られる〕。この銀河系には何千億もの恒星があり、その数は観測できるコスモス全体では10^{21}ほどとなる。それに、人間よりも高度な技術力をもった地球外生命体が居住可能な惑星もまた、たくさんあることがいまやわかっている。もしそうした地球外生命体がわたしたちと同じように宇宙飛行を試みたなら、コスモスの膨大な年齢から考えて、少なくともわたしたちのこの銀河でもうろついているはずだ。つまり、地球外生命体が大挙して押し寄せているはずなのに、そうはなっていないということだ。

星間旅行について言えることは、超知能についても言える。もし人間がサイボーグを生み出すなら、それはつまり、わたしたちが宇宙で最初で唯一の知的存在であるということを示唆していないだろうか？　人間のような知的生命体がわたしたちより前に存在していたなら、それがつくりだしたＡＩがとっくの昔にフェルミのパラドクスを解消しているだろう。もしわたしたちのような存在がかつて存在し、それがＡＩへと向かっていたら、この新しい物理的知性はいまや宇宙を支配しているかもしれない。そうなれば天文学者たちがその存在を発見するのは簡単なことだろう。そこらじゅうにいるだろうからだ。

いま一度、思い出さなければならないのは、コスモスを理解する生物が生まれるまでにかかった時間のことだ。知性の進化について考えるときに大切なのは、そのプロセスがどれだけゆっくりとしたものかを心に留めておくことだ。宇宙は１３８億歳だ。その始まりからの数十億年は、宇宙空間の進化に費やされてきたはずだ。モンスター級に巨大な水素の恒星はどれだけのあいだ続いたのだろうか？　わたしたちの太陽よりも１０００倍も巨大な恒星の寿命は約１００万年だ。こうした恒星はあまりに大きすぎて、その周辺に生命が現れるにはあまりにも短命だ。そしてついに、ともかくもわたしたちの太陽が、おそらくは球状星団の中に出現した。近くには危険な隣人たちがいたはずで、超新星爆発を起こしては、生元素（生物の身体と生命現象に不可欠な元素）を星団内に撒き散らしていた。それから、これらがすべて終わったあとで、人類が出現するにはさらに40億年がかかった。

つまり、わたしたちだけではなく、人間の後継者となるサイボーグもまた、この宇宙で孤独な存在となる。ほかに生命がいないこのコスモスにおいて、自分たちが唯一のコスモスの理解者であることに気づくのだ。もちろんサイボーグのほうが、理解力という点では遥かに優れた能力を備えている。おそらく、コスモスの人間原理が正しければ、サイボーグこそが、知的宇宙へと向かうプロセスの始まりとなるだろう。サイボーグを解き放つことで、宇宙の目的が何であれ、それを成就できるものへと進化させていくわずかなチャンスが生まれるかもしれない。もしかすると知的生命の最終的な目標は、コスモスを情報へと転換させることなのだ。

ノヴァセンがもたらすかもしれない未来や驚異をわたしたちは恐れるべきだろうか？　わたしはそうは思わない。この新たな時代は、地球上で40億年近くにわたって続いた有機的生物としての生命の時代の終わりを告げるだろう。感情をもつ人間として、それは間違いなく、悲しむと同時に誇るべきことのはずだ。宇宙論の人間原理を唱えたジョン・バロウとフランク・ティプラーが正しくて、知的生命を生み出し維持するために宇宙が存在するとしたら、人間は光合成生物と同じように、進化の次のステージのためにシーンを用意する生命体の役割を果たしているのだ。

これまでもそうだったように、未来はわたしたちにとって、知り得ないものだ。それは有機的世界においてさえもそうだ。サイボーグはサイボーグを身ごもるだろう。人間にとって都合がいい存在として下等生物であり続けるなどということは決してなく、そのまま進化を続け、高度な進化の産物として新しい強力な種となるだろう。しかしガイアという支配的で圧倒的な存在に尽くすため、それらはすぐに、わたしたちの主《あるじ》となるのだ。

結び

多くのものが奪われたとはいえ、まだ残るものは少なくない。

――アルフレッド・テニスン男爵「ユリシーズ」［『対訳テニスン詩集：イギリス詩人選〈5〉』（岩波文庫）／西前美巳編］

わたしが7歳だった1926年に、ニューコメンの「大気圧機関」の復元物を見たことがある。父のトムがケンジントンにある自然史博物館に連れて行ってくれたのだ。ジュラ紀の巨大トカゲをわたしが気に入るだろうと父は考えていた。でもそうならなかったのは、もっと近年の機械的な人工物によっぽど心が奪われたからで、それが、お隣の科学博物館にあったその蒸気機関だった。ずっと昔のトカゲの亡骸《なきがら》よりも、それははるかに魅力的だった。エネルギー利用にこれだけ大きな変革をもたらした機械をなぜ誰もが無視して、昔のトカゲの残骸に夢中なのか、いまだに不思議に思わずにいられない。

しかし、恐竜よりも機械に興味がある一方で、わたしは生きた自然にも興味があった。それもまた、父に導かれたのだ。

フェミニストであり婦人参政権論者だった母のネルは、トーマス・ハーディの小説に見られる自然観に深く心を奪われていた――それは、自然とは貧しき者たちが悲しいほどに酷使される厳しく無慈悲なもの、という見方だった。これは当時台頭してきた都市部に住むエリートたちの典型的な態度だった。父は対照的に、1872年にバークシャー州外れのウォンテジで生まれた田舎育ちだった。13人きょうだいで、寡婦だったわたしの祖母によって貧困のうちに育てられた。

ハーディが描く、田舎の生活は悲惨だという世界観を父は決して受け入れられなかった。大変だけれども耐え得るものだと思っていたのだ。救貧院に住めること以外に貧者に特権がないことは確かだろう。生き延びるために、人類の祖先がそうだったように、ラヴロック一家は狩猟採集のような生活を余儀なくされた。こうした原始的な生活によって、父は教育を受けてこなかったにもかかわらず、生態系に関する知識においてはセルボーン村に暮らしたギルバート・ホワイトに引けを取らなかった。野生動物の習性を熟知し、狩りの方法をわかっていた。なにしろ彼も野生動物の一員だったからだ。父と歩く田舎の散策はとても魅力的で、彼のシンプルな教えによって、わたしは自分を養ってくれるこの地球、すなわちガイアに親しみの気持ちを抱くことができた。つまりわたしは、最高に恵まれた子どもだったのだ。

そしていまや、わたしは恵まれた老人となっている。4部屋だけの小さなコテージの仕事部屋の窓から外を眺めれば、チェシルビーチの向こうに広大な大西洋を見渡すことができる。その海は怒りに泡を沸き立たせたかと思えば、穏やかに誘惑して、あらゆる表情を見せてくれる。コテージから100メートルほど先には、ナショナルトラストが所有する土地があり、海辺から標高250メートルのパーベックヒルズの頂上まで拡がっている。散歩をするのにうってつけの場所で、植物、昆虫や毛虫、ネズミや鳥など膨大な数の種が暮らしている（もちろん、それよりもよっぽど数が大きな微生物種を忘れてはいけない）。そして、ヒースの群生を歩くわたしは、自分の細胞数よりも10倍多い微生物を自分の身体の中に嬉々として運んでいる。ここで妻のサンディと暮らすことにとても満足している。

わたしはまた、イングランドに暮らすという特権も享受している。穏やかな気候というガイアの贈り物に恵まれ、またほとんどの時代において、穏やかな歴史という人間による贈り物にも恵まれた。すぐに忘れがちではあるけれど、ヨーロッパ大陸の住人と違って、イギリスの島々に暮らす人々は、一度の内戦を別にすれば、1000年にもわたる平和のうちに暮らしてきた。そのあいだに真っ当な振る舞いについてコモンローとしてまとめ、善悪をふるい分ける試みとして階層社会をつくりあげてきた。コモンローをやめて、自分たちに都合のいい成文憲法を制定しようとするデマゴーグたちには用心しなければならない。

最後の特権は、わたしが独立して生きてこられたことだ。1961年にNASAの宇宙飛行プログラムのディレクターだったエイブ・シルヴァースタインから受け取った手紙の最初の一文がわたしの人生のターニングポイントとなった。彼はわたしに、1963年に予定している月面着陸のためのプロジェクトに参加しないかと誘ってきたのだ。もちろん、わたしはすべてを投げ捨て、その仕事を引き受けた。その後、シルヴァースタインからの2通目の手紙は、1964年の火星への惑星探査機に搭載する観測機器の計画に参画しないかというものだった。こうした任務が、自分が独立して活動することを後押ししてくれた。テキサス州ヒューストンのベイラー医科大学で終身在職権のある教授を3年続けたあとには、ソールズベリー近郊のボワーチョークに小さなラボを購入して機材を揃えるのに充分なお金が銀行にあった。それ以来わたしは、企業や政府機関からの依頼による仕事で得た収入と特許のロイヤリティによって生計を立ててきた。

同じように重要だったのが、NASAから月と火星の地表と大気をテストするための小型の高感度機器をつくるように求められたことだった。火星で言えば、このデヴァイスは生命の証拠を見つけることを意図したものだった。わたしに声がかかったのは、ほとんどの化学物質を検知できる超高感度のレンジをもつデヴァイスを発明していたからだ。シンプルで軽量のガスクロマトグラフと連動したわたしの検出器は、その当時NASAがちょうど必要としているものだった。

生物学者たちが当時抱いていた問いは、「どうやってほかの惑星において生命の存在を検知するのか」というものだった。わたしは自らの意見を強く表明していた。地球と同じタイプの生命をほかの惑星で探すのは意味がない、特にこの地球の環境についてほとんどのことを知らないままだし、ましてやほかの惑星についてはほとんど何も知らないのだから、というものだ。これは偉い生物学者たちを怒らせるものだった。そうした人たちは、生命の唯一あり得る形はDNAをベースにしたものだけだと考えているようだった。反発はあまりに大きく、わたしはNASAの上級宇宙エンジニアのオフィスに呼び出され、「きみならどうやってほかの惑星で生命を探すんだ？」と尋ねられた。わたしは、惑星表面でエントロピーが減少しているところを探すでしょうと答えた。つまり、生命はその環境を組織化（低エントロピー化）することに気づいていたのだ。こうしてガイア理論が生まれた。

いま、夜中に海の向こうに光る赤い惑星を夜空に見上げるとき、わたしが設計したハードウェアのふたつが、その火星の砂漠にあることを考えると興奮せずにはいられない。１９７７年にそれらのハードウェアが役目を果たし、われらがきょうだいであるこの惑星がいかに不毛の地であるかを示すことに貢献した。

こうしてわたしは50年以上にわたって独立してやってきた。そのあいだ、わたしを導いてくれたのはガイアだ。ガイアに失望させられることは決してなかった。

ひょっとすると厚かましいかもしれないが、わたしが感じているのは、イングランドの南西岸という所在地と、科学者でありエンジニアであり発明家としてのわたしの独立したキャリアが、自分をアントロポセンの創成者と、ノヴァセンの創成者の両方に結びつけているということだ。「火によって水を汲み上げるという驚きの機械の唯一の発明者」であるトーマス・ニューコメンをアントロポセンの創成者だと見なせるなら、同じようにグリエルモ・マルコーニこそがノヴァセンの創成者だとわたしは言いたい。いずれももっとも重要な仕事をイングランド南西部で成し遂げ、独立独歩でそのアプローチは実際的だった。

マルコーニもニューコメンと同じくエンジニアだった。彼は無線による電信を実用化した人物だ。電話という技術はアレクサンダー・グラハム・ベルの発明に負っているのは間違いない。しかし、無線電信を実現したばかりか、それを商業化したのもマルコーニであり、だからこそ電信はあれだけ急速に成長することになった。ラジオもテレビもすべて、このマルコーニの単純な実験から進化していったのだ。

興味深いのは、マルコーニが最初に長距離無線通信を試みた場所は、ニューコメンが蒸気機関を組み立てた場所とさほど離れていなかったことだ。1901年にマルコーニは、コーンウォールのポルデューからニューファンドランド島のセントジョンズまで大西洋を横断して、約３５００キロの無線通信を試みた。著名な物理学者たちは、愚かにも大西洋を超えて無線信号を送るなど不可能だろうと主張した。電波を含む電磁放射線は直線状に進む一方、海洋は地球の曲率に沿って曲がっているからだ。簡単に言えば、それが課題だったのだ。大気の上空には電子の反射層（電離層）があるのではないかと気がついたのは、オリヴァー・ヘヴィサイドというもうひとりのエンジニアだった。この層が鏡のように働いてマルコーニの信号を海面に送り戻すことで、大西洋を渡れるというわけだ。

つまり、最初の実用的なＩＴを発明したのはマルコーニだ。わたしは彼の惜しみない努力と粘り強さに鼓舞されてきた。地球の曲率があるからそんな芸当は不可能だと合理的科学がはっきり示していた時代にあって、海の上を何千キロも信号を飛ばしたのだ。彼はニューコメンと同じく、ニューエイジを切り開いた人間だった。

アントロポセンに続く時代を切り開く知性の持ち主は、人間ではないだろう。わたしたちがいま知覚できるものとはまったく異なる何かであるはずだ。そのロジックは、人間のものとは違い、多次元的なものだろう。動物界や植物界と同じように、そこには大きさも違えば、動くスピードもパワーもさまざまな多くの形態が存在するだろう。それはコスモスの進化における次の、あるいはもしかしたら最後の発展段階かもしれない。

人間は自らの子孫よりも劣っていると感じるべきではない。わたしたちがどれだけ大きな進化を遂げてきたか考えてみてほしい。40億年前、地球の表面はおそらく海で、有機的化学物質に満たされていた。そこは温かく心地良く、当時はガイアによる調整も必要がなかった。そこでどういうわけか、生命が始まったのだ。最初の生命形態は化学物質に満たされた単細胞生物だった。それが徐々に形を成していき、いまわたしたちがバクテリアと呼ぶものになっていった。こうしたバクテリアは生きるためにお互いを狩り、殺し、食べることを厭わなかった。

この状態は数十億年ゆっくりと着実に続いた。ところが約10億年前に、捕食されたあるバクテリアがそのまま捕食者の内部で生き続け、なんとふたつの生命体から新しい生命が形づくられた。それが真核細胞だ。ここから植物界と動物界が進化した。バクテリアやほかの原核単細胞生物も残り続け、生きた惑星をつくりあげるための役割を果たした。この生物学的な大発見を成したのは、わたしの長年の親しい友であり同僚であるリン・マーギュリスだ。

それから、30万年前にホモ・サピエンスが誕生すると、コスモスで唯一この惑星は、自らを理解する能力を獲得した。それはもちろん、一度に起こったわけではない。数百年前のルネッサンスの時代に科学の巨人たちが現れてようやく、人類はコスモスの物理的現実の全体像を把握し始めたのだ。わたしたちはいまや、知るという天賦の能力を新しい形態の知的存在へと受け渡そうと準備しているところだ。

そのことにがっかりしないでほしい。人間は自らの役割を果たしたのだ。かつての偉大なる戦士で探検家だったユリシーズについて書いたテニスンの詩に慰めを見出そう。

多くのものが奪われたとはいえ、まだ残るものは少なくない。
その昔、地をも天をも動かした剛の者では今はないとしても
今日のわれらは斯くの如し、である。〔『対訳テニスン詩集：イギリス詩人選〈5〉』（岩波文庫）／西前美巳編〕

今日のわたしたちは斯くの如しだ。それは偉大なる時代の叡智であり、人間が永久の存在でないことを受け入れ、為してきたことの記憶や、もしかしたら幸運にもまだできるかもしれないことに慰めを見出すのだ。そして願わくば、わたしたちの貢献のすべてが忘れられてしまうのではなく、叡智や理解がこの地球の外へと拡がって、コスモスを包み込むことを。

日本語版解説

佐倉統

地球はひとつの巨大な自己調節システムであり、すなわち生命体のようなものだ――本書の著者ジェームズ・ラヴロックが一九六〇年代に提唱したガイア理論の骨子だ。

これがまた、賛否ともどども、とても大きな影響を世界中に与えた。その範囲も科学界にとどまるものではなく、人文社会系の学術界はもとより、芸術や文学、宗教、社会運動、アニメ、ゲームなど広くさまざまな領域に及んでいる。画期的な科学理論は、地動説や進化論のように、人々の世界に対する見方そのものを根底から変えることがあるが、ガイアはまさにそのひとつだった。

ラヴロックの見方の特徴は、個々の事例や現象に拘泥するのではなく、「全体」をがっつりと把握するところにある。NASAの火星生命探査プロジェクトに参加したときも、地球上の生物だけを生命体とみなすのではなく、「生命体」を一般化、普遍化して考え、生命科学者たちと軋轢《あつれき》を生じたりしている（本書一六〇―一六一ページ参照）。

この『ノヴァセン』は、そんなラヴロックによる未来予測だ。人類がこの先どうなるかなのだが、そこはガイアの導師《グールー》だけあって、凡百の未来予想図とは異なり、人類について語ることがすなわち地球《ガイア》について語ることであり、それがさらに宇宙《コスモス》について語ることと一体化する。ユニークきわまりない未来予想図Ⅱになっている。

しかも、いろいろな「顔」をもっていて、それぞれに沿ったいろいろな読み方、楽しみ方ができる内容になっている。

第一の「顔」は、地球化学者による未来予測である。情報についての見方が、ここでのポイントとなる。ラヴロックが「全体」を見るときに注目するのは、エネルギーや情報といった、形のないものの「流れ《フロー》」である。とくに何もなければ規則性もなくただ流れているだけのそれらが、ある種の秩序をもって存在しているところが見つかれば、それが生命であり、人類である。だから、人類と地球の将来を予測するには、エネルギーや情報が今までどのような歴史を経てこうなってきたのかを考察することが決定的に重要となる。

ラヴロックはこのようなエネルギー・情報重視史観によって立ち、地球史上の重大な出来事として、光合成植物の出現（＝太陽エネルギーを物質に変換する能力をもった生物の出現）と、イギリスの技術者トーマス・ニューコメンによる蒸気機関の発明（＝太陽エネルギーを自在に操作する能力の出現）をあげる。前者はともかく、後者をここまで重視するのは珍しかろう。

そして、エネルギー（＝火）の時代（＝アントロポセン）の次に来たるべきノヴァセンは情報の時代であるとして、無線による電気通信を発明したグリエルモ・マルコーニをその幕開きを導いた人と称揚する。

このように革新的な技術の開発や実用化を特定の個人に帰属させる見方は、いわゆる英雄史観であり、ぼくはあまり好むところではない。発明発見を成り立たせている社会的背景や経済的条件なども視野に入れないと、科学や技術をうまく管理できないと思うからだ。地球のあり方については全体を見渡す能力に長けているラヴロックが、技術の歴史については個人をクローズアップする英雄史観をとっているのもおもしろいところだ。

それはさておき、情報が出現し、それを人類が自由に操るようになり、さらに次のノヴァセンになると、人類の情報処理能力を凌駕する人工物（ラヴロックは「サイボーグ」と呼ぶが、一般にはＡＩとかロボットとかいわれている存在）が、我らの後継者となって、時代の主役となるだろうと予測する。

普通の未来予想図ならこの辺までなのだが、ラヴロックがすごいのはさらに先に進んで、なぜならばそれがこの宇宙《コスモス》の必然だからだと主張するのである。宇宙そのものが、自分（＝宇宙）を知る存在を生み出すように成長してきており、人類の活動も情報の出現も、その大きな成長過程の産物だからだという。人間原理を援用しながらのこのあたりの論の運びは、スリリングでもあり同時に難解でもあり、彼のたくましい想像力が遺憾なく発揮された部分である。

しかしラヴロックの考察は、情報と物質・エネルギーとの関係に迫るものであるとも思う。物質とエネルギーの関係はアインシュタインらによって等価であることが発見されたが、ここに情報がどのような形で加わるのか、まだまだわからないことが多い。ぼくたちが「情報」と言うときは、さまざまな意味を運ぶパターンを指している。これと、物理学的に定義される情報（負のエントロピー）との間には、大きなギャップがある。単純化して言えば、前者には意味があり、後者には意味はない。この差は何なのか。そして、「情報」は、宇宙の進化の中で、どのようにしていつごろ登場したのだろうか。

この本の読み方その二は、卓越した文明論者による未来予測としてである。ラヴロックのガイア理論は、環境問題への取り組みに大きな影響を与えた。もっとも、どうも彼は、複雑適応系ならなんでも「生命体」と言ってしまいかねないところがある。地球が生命圏と共進化してきた複雑なシステムで、微妙なバランスを自律的に保つ驚異的な自己調節能力をもっていることは間違いないことだし、それを明らかにしたラヴロックの業績は偉大だが、だからといってそれを「生命」と称する必要はないとぼくは思う（このあたりの議論は拙著『現代思想としての環境問題』［中公新書］で述べたので、御参照いただきたい）。

一方で、ラヴロックのガイア理論が、ともすれば自然保護やエネルギー問題、大気汚染、人口問題など、個別の問題に細分化されてしまいがちだった地球環境問題の全体を包括し、丸ごと扱う視点と概念的道具を提供してくれたことも事実だ。これは環境問題史において画期的だった。だからこそガイア理論は地球環境問題のシンボルとしてもてはやされたし、ラヴロックはウィキペディアでは英語版でも日本語版でも「環境主義者」として扱われている。本書ではラヴロック自身が、いわゆる環境主義者とは異なり、技術至上主義的な考えを吐露している部分がたくさんあって、それもまた興味深い。原子力発電所は明確に擁護しているし（七〇ページ）、緑の党の環境至上主義的政策は強く批判している（九六–九七ページ）。

本書でノヴァセンの手前の段階として位置づけられているアントロポセン（人新世）は、このところ脚光を集めている考えかただが、ラヴロックのガイアなしには出現しなかっただろう。アントロポセンには、地球環境問題を総体として見る俯瞰した視点と、人間の側からだけではなく地球の側の問題としてもとらえる脱人間中心主義的視点と、さらに、人間の存在を決して忘れないヒューマニズムとがブレンドされている（もっとも、この「人間」とは誰を、何を指しているのか、というのは批判的に考えるべき問題である）。

だから、個別専門の学問領域から見たら、あまり有効性のない概念とみなされがちであったりもするのだが、この絶妙のブレンドを一足早く体現していたのがガイア理論なのだ。アップルヤードが序文で述べていることとは少し異なるが、ぼくはアントロポセン概念はガイア理論の申し子であり、その後継時代のノヴァセンをラヴロックが予見するのは、したがって必然の展開なのだと思う。

本書の第三の読み方は、SFとしてである。情報を生み出し自己を知るように進化成長してきた宇宙の最先端にいるのが人類だという壮大な物語。そして、その後継者として機械が台頭しつつあるという展望。いずれも純粋に科学的な研究や考察だけからは到達できないような、想像力の飛翔を感じる。

後継種たる機械（本書で言うサイボーグ）とぼくたち人類の間でどのようなコミュニケーションがありうるかについての彼の検討は、異種間コミュニケーションの考察例としても興味深い。お互いが理解できることを前提としないコミュニケーションが、どこまでありうるのか。そもそもそれはコミュニケーションなのか？　SFではスタニスワフ・レムの『ソラリス』（ハヤカワ文庫）という古典的名作があるが、生物の種どうしのコミュニケーションを描いたという点では、ロバート・L・フォワードの『竜の卵』と続編『スタークエイク』が連想される（ともにハヤカワ文庫）。中性子星の表面にすむ、核子を遺伝子とするため世代時間がものすごく早く、したがって時間感覚が人間の一〇〇万倍という超高速生物と、人類との感動的なやりとりを描いた大傑作だ。ラヴロックも、後継種たる機械たちは人類よりはるかに高速で思考できるので、彼らから見た私たち人間は、私たちが植物を見ているようなものだろうと推測する（一五〇ページ)。正否はさておき、わくわくするではないか。
最後に第四の読み方として、高齢者の可能性の発露をあげたい。ラヴロックは一九一九年生まれ、本書の原書が出た時点で一〇〇歳だ。人間誰しも、歳をとると思考は画一的になり、柔軟性を失っていく。中には自分の経験にやたらと固執する人も少なくない。だが、本書で開陳されているラヴロックの思考のみずみずしさ、柔軟さはどうだろう。著者名を知らずにこれが三〇代の新進気鋭の学者が書いたものだと言われたら、ぼくはなんの疑いもなく信じたと思う。それぐらい、彼の想像力は若々しい。

突っ込みどころはたくさんある(たとえば、後継種たるシリコン生物はどうやって代謝と自己複製能力を実現するのか、など)。だけど、読んでいくうちに、そういったことはどうでもいいいと感じられてくる。齢百《よわい》を迎えてなお盛んなラヴロックの知性を、ただただ楽しめばよいのではないか。

自分の狭い経験にこだわるのではなく、常に広い視野をもち、最新の情報にも精通して、しかし豊富な人生経験を活かして有益なアドバイスをしてくれる。ラヴロック、理想のおじいさんではないか。かくありたいものだ。

訳者あとがき

本書に登場する詩人リチャード・ブローティガンは、ビートからヒッピーへと連なるカウンターカルチャーを代表する、ぼくも大好きなアメリカの作家だ。だからラヴロックが英国人らしくワーズワースやテニスンやシェークスピアといった英作家を次々と引用するなか、最後に彼の言葉を見つけたのは嬉しい驚きだった。ブローティガンの代表作に『アメリカの鱒釣り』（新潮文庫）がある。鱒釣りといえばヘミングウェイだけれど、同書はそんな古き良き自然へのノスタルジーが、１９６０年代になっていよいよ前景化した高度工業化文明に溶け合った不思議な世界が描かれた大傑作だ。

本書で紹介されるブローティガンの「愛にあふれ気品に満ちた機械がすべてを監視していた」という詩についてラヴロックはこう語る。「一方にはヒッピーがいて、自然に戻ろうという理想主義を抱いている。他方には冷戦体制があって、コンピューターとサイバネティクスの文化があった。ブローティガンが謳っていたのは、自然に寄り添って働く良性のサイバーシステムをつくることで、政府と巨大企業を消し去ることができるという考えだ」

そして彼はこう続けるのだ。「実のところブローティガンが思いついたものは、初期の、そしてある意味で正確な形のノヴァセンだった」

ぼくはこの一文にほとんど吹き飛ばされたと言っていい。それほどまでに、頭の中ですべてがつながった瞬間だった。というのも、ぼく自身が編集長を務める『WIRED』日本版においても、まさに「自然とテクノロジーとの接続」が問題意識の根幹にあるからだ。

たとえば「地球のためのディープテック」特集では、とかく「自然へ還れ」的な議論に終始しがちな環境運動に一石を投じる意味で、テクノロジーによる気候危機への適応の可能性を特集した。その根底にあるのは、自然とテクノロジーを二項対立で捉えるようなバイナリーな思考を超えることでしか、ぼくたちは現実を捉えることも、それによってアクションを起こすこともできないという確信だった。

「地球とはひとつの生命体」だと最初に「発見」したのは、最後の偉大なる博物学者アレクサンダー・フォン・フンボルトだとされている。大地や大気や海洋、生物圏にすむ生命体、そうした有機物と無機物がすべて連なり合い、「生命の網」を編み上げていて、地球とは恒常性を保った巨大なひとつの生命体だという考えは、少なくとも近代科学を踏まえたものとしてはそれが初めてだった。かつて書籍編集者時代に手掛けた翻訳書『フンボルトの冒険』（NHK出版）で著者のアンドレア・ウルフは、このフンボルトの発見を受け継いだ系譜としてダーウィンやソロー、生物学者のヘッケルやトレイルの父ミューアとともに、ラヴロックの名前を挙げている。ちなみにフンボルトが死の直前まで心血を注いだ大著が『コスモス』だ。

ブローティガンがドラッグと詩作に励み、ラヴロックがガイア仮説を編み上げていた60年代に、全人類が「コスモス」に目覚める出来事があった。NASAが宇宙から撮影した地球の写真を初めて公開したのだ。地球上のすべての生命は、いわば宇宙船地球号に乗る同胞なのだという感覚が初めて視覚的にもたらされた。ラヴロックに言わせれば、それこそが「ガイアの目覚め」の瞬間だ。NASAに対して地球の写真の公開請求運動を起こしたことでも知られるスチュアート・ブランドは、NASAの公開と同年、伝説の雑誌『ホール・アース・カタログ（WEC）』を創刊し、表紙にその写真を掲載した。『WEC』が掲げた思想（そしてブローティガンが描いた世界）、つまり「適正なテクノロジー」を使うことで人間と地球の共生を目指すというヴィジョンを、わが『WIRED』は直接に受け継いでいる。

「動物とコンピューターが納得して／プログラミングされた調和のなかで／一緒に住んでいる」というブローティガンの世界観は、いまなら「エコモダニスト」と言えるだろう。本書でラヴロックも自分はそちらに「断然近い」と述べている立場だ。エコモダニストは科学とファクトに基づきテクノロジーによって環境問題を解決しようとする。それは、本当に地球環境を守りたければ原発を推進すべきだ、という立場に端的に表れている姿勢だ。

一方で、60年代から連綿と続くレイチェル・カーソンの『沈黙の春』（［新潮文庫］）。彼女はラヴロック発明の電子捕獲型検出器［ＥＣＤ］によってデータ的裏付けを得た）やラヴロックのガイア仮説、それにローマクラブによる「成長の限界」といった契機を経て、これまでの環境運動は、いわば「ガイアとの共生」という文脈で語られてきた。ガイアの知性の前に、人間は謙虚にならなければならないといったものだ。

それはアルネ・ネスが提唱した「ディープエコロジー」の思想へと結実した。対語となる「シャローエコロジー」が人間のために環境を保全することだとすれば、ディープエコロジーは人間中心主義を脱し、高度資本主義や大量消費社会といった人間の文明をいかに超克するかを目指すもので、「エコラディカル」と言われることがある。

ただ、こうした脱人間中心主義的なアプローチは、けっきょくのところ地球環境を改変することでしか生きられない存在が人間だとすれば、「地球のためには人間がいないほうがいい」という結論さえ導き出してしまう。00年代に入って環境思想家のティモシー・モートンが『自然なきエコロジー』（以文社）で批判したのは、まさにそうした「手つかずの無垢な自然」といった環境ロマン主義的な幻想だ。

興味深いのは、ラヴロックのガイア理論は歴史的に「エコラディカル」の理論的支柱となりながら、自身は一貫して「エコモダニスト」だったことだ。それが先鋭的な形で表れたのが、本書『ノヴァセン』だと言えるだろう。

ラヴロックのガイア理論に慣れ親しんだ方々にとって、本書は驚きと戸惑いをもって受け止められたのではないだろうか。何しろガイアが自己に目覚めていくこの宇宙論的目的を達成するために、人間に代わって超知能が後を継ぐというのだ。レイ・カーツワイルが唱えた『シンギュラリティは近い』(NHK出版)やユヴァル・ノア・ハラリが描く『ホモ・デウス』(河出書房新社)のような超知能の世界は、一見、自然とは真逆のディストピアに思えるだろう。だがラヴロックは、人間とマシンによるテクノロジーの意図的選択を通じた進化によってこそ、われらのガイアはこれからも恒常性を保てるのだと明確に述べている。

人間ばかりかテクノロジーをも生物圏の中に位置づける点において、それは『WIRED』の創刊エグゼクティヴエディターも務めたケヴィン・ケリーが提唱する「テクニウム」とも大いに共鳴する。ケリーは先に登場したブランドと共に『WEC』のスピリットをデジタル世界に橋渡しした人物であり、94年の処女作『複雑系を超えて』(アスキー)の冒頭において、「機械は生物になり、生物は人工物になっていく」と明確に提示している。彼の代表作『テクニウム』(みすず書房)では、生命を「自己生成する情報システム」だと定義した上で、テクノロジーもまた、自己生成可能な情報システムであり、生命が地球上で進化してきたように、テクニウムも「生物の第七界」として、同じように進化していくと論じている。

ケヴィンはテクニウムの始まりを「地球が人類を変える力を、人類が生態系を変える力が上回った」約1万年前だとしている。本書でラヴロックはその時点を、トーマス・ニューコメンの蒸気機関を契機とした産業革命の始まりにおく。いずれにせよ、この時代は地質年代でいうアントロポセン(人新世)として定義されることがある。でもいまや、「テクニウムが人類を変える力が、人類がテクニウムを変える力を上回る」転換点をぼくらは迎えている。これをシンギュラリティ(技術的特異点)と呼んでもいいし、ポストアントロポセン、あるいはもちろん、本書でラヴロックが言うように、ノヴァセンの始まりだと呼んでもいいだろう。

ただし、カーツワイルやハラリの描く未来が「強いシンギュラリティ」だとすれば、ラヴロックやケヴィンが描くポストアントロポセンは「弱いシンギュラリティ」だと定義できる。そこでは微生物と植物と動物が生物圏で共存するように、超知能たるサイボーグもまた共存する。そしてガイアを守るという、これまで環境活動家たちが大いなる情熱と使命感をもって引き受けてきた役割を、何万倍もの速さで引き継いでいくのだ（それは喜ぶべきことではないだろうか）。

それでも、人間の役割は残されているとラヴロックはぼくらを慰める。地球上の植物がガイアの恒常性を維持するのに欠かせないように、人間も引き続き、ガイアにとっては欠かせない存在だ。そのときサイボーグたちにとって人間は、ぼくたちにとっての植物のような存在となるだろう。自然を愛し、動植物との共生を目指してきたぼくらにとって、それもまた、悪くないのかもしれない。ブローティガンが描くようにそれは、「みんなが労働から解放され／自然へと回帰し　動物の／兄弟や姉妹のもとへと／帰りつく」未来なのだから。

＊

最後に翻訳書らしいあとがきを。本書は２０１９年７月にペンギン・ランダムハウスＵＫ傘下の名門出版社アランレーンから刊行されたジェームズ・ラヴロックの著書*Novacene: The Coming Age of Hyperintelligence*の邦訳である。版元名にもなっているアラン・レーン卿が２人の兄弟と共に世界有数の版元ペンギンブックスを創業したのは遡ること戦間期の１９３５年のこと。そしてラヴロックはといえば、当時すでにサウスロンドンの男子校に通っていた。本書は彼の１００歳となる誕生日に合わせて刊行された、ことばを選ばずに言えば人類に向けた〝遺言〟

としてまとめられた一冊だと言える。彼には訳者の不明による訳出上の疑問にも、快く丁寧にメールで答えていただいた。佐倉先生がおっしゃるとおり、〝理想のおじいさん〟に心より感謝を。

本書の翻訳の提案に寛大にも耳を傾け実現してくれたNHK出版放送・学芸図書編集部編集長の加納展子さん、校正の酒井清一さん、装丁家の水戸部功さんは、長きにわたって同僚として、仕事仲間として、数々の本を共に世に送り出してきた尊敬すべきプロフェッショナルだ。今回、またこうしてご一緒できてどんなに心強かったか。いつも最高のお仕事をありがとうございます。

監訳の藤原朝子さんには、翻訳の何たるかを一から改めて学ばせていただいた。敬愛するジャーナリストの故後藤健二さんの著書の編集でご一緒して以来、またその聡明なる知性に助けられました。心から感謝申し上げます。

いつもインスピレーションを掻き立てわくわくする未来を見せてくれる『WIRED』日本版のチームのみんなにもこの場を借りてお礼を言います。本書は『WIRED』での日々の編集と思索のなかで出合った一冊でした。本当にありがとう。落合陽一さんが本書にお寄せいただいた言葉は、本書の文明論的な射程の長さを教えてくれる。クリエイティヴハック・アワード以来となる『WIRED』でもぜひまたご一緒させて下さい。

そして、冬休みのシドニーでの家族のヴァカンスを丸々、本書の翻訳作業に充てたぼくに呆れながらも許してくれた妻のキャサリンに。今度のヴァカンスはぜひ、君の故国イングランドのアントロポセンが生み出した美しい自然を一緒に散策しよう。

2020年3月　パンデミックのさなか、人類がガイアのもとで団結する時代に

松島倫明

［著者］
ジェームズ・ラヴロック James Lovelock
イギリス生まれ。「ガイア理論」の提唱者として知られる。英国王立協会フェロー。プロスペクト誌で「100人の世界的知識人」に選ばれ（2005年）、ロンドン地質学会より栄誉あるウォラストン・メダルを授与された（2006年）。「ダーウィン以来、最も影響力のある科学者」（アイリッシュ・タイムズ紙）、「われわれの地球の見方を変えた科学者」（インディペンデント紙）などとその功績は高く評価される。2019年7月に100歳の誕生日を迎えた。著書に『地球生命圏――ガイアの科学』『ガイアの時代――地球生命圏の進化』（共に工作舎）など。

［監訳者］
藤原朝子 ふじわら・ともこ
翻訳家。学習院女子大学非常勤講師。米ドラマ『ハウス・オブ・カード』日本語字幕監修も務める。主な訳書に、トニー・ワグナー『未来のイノベーターはどう育つのか』、アレックス・モザド他『プラットフォーム革命』（共に英治出版）、スティーブン・ピンカー他『人類は絶滅を逃れられるのか』、パトリック・キングズレー『シリア難民』（共にダイヤモンド社）。

［訳者］
松島倫明 まつしま・みちあき
『WIRED』日本版編集長。これまでに「FUTURES LITERACY」「デジタル・ウェルビーイング」「地球のためのディープテック」などを特集してきた。書籍編集者時代には『FREE』『SHARE』『シンギュラリティは近い』『〈インターネット〉の次にくるもの』（NHK出版）など、デジタルテクノロジーや未来社会をテーマにした数々のベストセラータイトルを手掛けている。

［解説］
佐倉 統 さくら・おさむ
東京大学大学院情報学環教授。理化学研究所革新知能統合研究センターチームリーダー。京都大学大学院理学研究科博士課程修了、理学博士。専攻は科学技術社会論。進化論や動物行動学をベースに、脳神経科学やAIと社会の関係についての研究に従事する。主な著書に、『現代思想としての環境問題』（中公新書）、『進化論という考えかた』（講談社）、『人と「機械」をつなぐデザイン』（東京大学出版会）。

校正　酒井清一
本文組版　佐藤裕久
装幀　水戸部功

ノヴァセン
〈超知能〉が地球を更新する

2020年4月25日　第1刷発行

著者　ジェームズ・ラヴロック
監訳者　藤原朝子
訳者　松島倫明
発行者　森永公紀
発行所　NHK出版
〒150-8081　東京都渋谷区宇田川町41-1
電話　0570-002-245(編集)
0570-000-321(注文)
ホームページ　http://www.nhk-book.co.jp
振替　00110-1-49701
印刷　亨有堂印刷所　大熊整美堂
製本　ブックアート

乱丁・落丁本はお取り替えいたします。定価はカバーに表示してあります。
本書の無断複写（コピー、スキャン、デジタル化など）は、著作権法上の例外を除き、著作権侵害となります。
Japanese translation copyright ©2020 Fujiwara Tomoko, Matsushima Michiaki
Printed in Japan　ISBN978-4-14-081815-2　C0098